AGATHA CHRISTIE

MORTE NA MESOPOTÂMIA

Um caso de Hercule Poirot

Tradução
Milton Persson

Rio de Janeiro, 2024

Murder in Mesopotamia Copyright © 1936 Agatha Christie Limited. All rights reserved.

AGATHA CHRISTIE, POIROT and the Agatha Christie Signature are registered trade marks of Agatha Christie Limited in the UK and/or elsewhere. All rights reserved.

Direitos de edição da obra em língua portuguesa no Brasil adquiridos pela CASA DOS LIVROS EDITORA LTDA. Todos os direitos reservados. Nenhuma parte desta obra pode ser apropriada e estocada em sistema de banco de dados ou processo similar, em qualquer forma ou meio, seja eletrônico, de fotocópia, gravação etc., sem a permissão do detentor do copirraite.

Este livro não pode ser exportado para Portugal ou outros países de língua portuguesa

Preparação de originais: Gustavo Penha José Grillo
Luis Alberto Monjardim
Projeto gráfico de miolo: Leandro B. Liporage
Diagramação: Leandro Collage
Projeto gráfico de capa: Maquinaria Studio

CIP-Brasil. Catalogação na fonte
Sindicato Nacional dos Editores de Livros, RJ

C479a

Christie, Agatha, 1890-1976
    Morte na Mesopotâmia: um caso de Hercule Poirot / Agatha Christie ; tradução de Milton Persson. – Rio de Janeiro: HarperCollins Brasil, 2016.

    Tradução de: *Murder in Mesopotamia*
    ISBN 978.85.9508.601-2

    1. Poirot (Personagem fictício) 2. Ficção policial inglesa. I. Persson, Milton, 1929. II. Título.

CDD: 823
CDU: 821.111-3

Rua da Quitanda, 86, sala 601A – Centro –
20091-005 Rio de Janeiro – RJ – Brasil
Tel.: (21) 3175-1030

Printed in China

Dedico este livro aos meus vários
amigos arqueólogos no Iraque e na Síria.

Sumário

Preâmbulo do dr. Giles Reilly.................... 9

1 — Introdução.................................... 11

2 — Apresentando Amy Leatheran.................... 12

3 — Rumores...................................... 18

4 — Minha chegada a Hassanieh.................... 22

5 — Tell Yarimjah................................ 32

6 — A primeira noite............................. 36

7 — O homem diante da janela..................... 47

8 — Alarme noturno............................... 56

9 — A história de Mrs. Leidner................... 62

10 — Sábado à tarde.............................. 71

11 — Um negócio esquisito........................ 76

12 — "Eu não acreditei..."....................... 81

13 — A chegada de Hercule Poirot................. 86

14 — Um de nós?.................................. 95

15 — Poirot faz uma sugestão..................... 102

16 — Os suspeitos 110

17 — A mancha ao pé do lavatório 115

18 — Chá em casa do dr. Reilly 123

19 — Uma nova desconfiança 134

20 — Miss Johnson, Mrs. Mercado,
Mr. Reiter 142

21 — Mr. Mercado, Richard Carey 154

22 — David Emmott, padre Lavigny
e uma descoberta 162

23 — Uma experiência mediúnica 174

24 — O crime é um hábito 183

25 — Suicídio ou crime? 187

26 — A próxima serei eu 195

27 — O começo de uma viagem 201

28 — Fim da viagem 226

29 — L'envoi 234

Sobre a autora 237

Preâmbulo do dr. Giles Reilly

Os fatos descritos nesta história ocorreram há cerca de quatro anos. As circunstâncias tornam necessário, em minha opinião, que venha a público um relato direto dos acontecimentos. Têm circulado os rumores mais fantásticos e ridículos, insinuando a supressão de provas importantes e outras tolices do mesmo gênero. Essas interpretações deturpadas da realidade se registraram, sobretudo, na imprensa americana.

Por motivos óbvios, era de desejar que o relato não fosse da autoria de nenhum participante da equipe da expedição, que podia, com justiça, ser considerado preconceituoso.

Por isso sugeri a Miss Amy Leatheran para que se incumbisse da tarefa. Ela é, evidentemente, a pessoa mais indicada. Possui uma seriedade profissional a toda prova, sem se deixar influenciar pela sua ligação anterior com a Expedição da Universidade de Pittstown ao Iraque, e é uma testemunha ocular muito perspicaz.

Não foi nada fácil persuadir Miss Leatheran a empreender a tarefa — de fato, convencê-la revelou-se um dos trabalhos mais penosos de minha carreira profissional —, e mesmo depois de terminado, demonstrou uma estranha relutância em me deixar ver o manuscrito. Descobri que isso, em parte, devia-se a certas observações críticas que ela havia feito a respeito de minha filha Sheila. Resolvi logo o problema, assegurando-lhe que, assim como hoje em dia os filhos criticam os pais com toda a liberdade na imprensa, os pais ficam simplesmente encantados quando os filhos recebem sua parcela de descompostura! Outra objeção que fez foi a extrema modéstia de seu estilo literário. Esperava que eu "corrigisse os erros de gramática e tudo o mais". Eu, pelo contrário, me recusei a mudar a mínima palavra. O estilo de Miss Leatheran é, a meu ver, vigoroso, pessoal e totalmente apropriado. Se chama Hercule Poirot de "Poirot" num parágrafo e de "Mr. Poirot" no seguinte, tal variedade é, ao mesmo tempo, interessante e sugestiva. Se em determinados momentos se preocupa, por assim dizer, em "manter as boas maneiras" (e as enfermeiras de hospital sempre fazem questão cerrada da etiqueta), de uma hora para outra seu interesse pelo que está contando é o de um mero ser humano — mandando o uniforme às favas!

A única coisa que fiz foi tomar a liberdade de acrescentar uma introdução — auxiliado por uma carta gentilmente cedida por uma amiga de Miss Leatheran. Visa a fornecer uma espécie de ilustração — isto é, traçar o retrato, em linhas gerais, da narradora.

1
Introdução

No saguão do Tigre Palace Hotel em Bagdá uma enfermeira de hospital terminava uma carta. A caneta deslizava veloz sobre o papel.

... Bem, minha cara, acho que por enquanto é só. Confesso que foi ótimo conhecer um pouco o mundo — embora não troque a Inglaterra por coisa nenhuma, muito obrigada! A imundície e a bagunça de Bagdá, você precisaria ver para crer — sem a menor sombra do romantismo que a gente imagina depois das Mil e uma noites*! Claro que à beira-rio é bonito mas a cidade em si é simplesmente horrenda — não há nenhuma loja que se aproveite. O major Kelsey me levou aos bazares e, lógico, não se pode negar que sejam exóticos — mas não passam de antros de bugigangas, onde martelam aquelas panelas de cobre até a cabeça da gente arrebentar. Eu é que não gostaria de usar uma coisa dessas antes de me certificar se estão limpas. Precisa-se tomar um cuidado incrível com o azinhavre que se cria no cobre.*

Mais tarde escreverei, contando se deu certo o emprego de que o dr. Reilly falou. Ele disse que o tal americano se encontra atualmente em Bagdá e talvez viesse procurar-me hoje à tarde. É para mulher dele — que anda com umas "ideias fixas", segundo o dr. Reilly. Ele não piou mais nada, e naturalmente, meu bem, a gente sabe o que isso geralmente significa (só espero que não sofra de delirium tremens!). O dr. Reilly, claro, não mencionou uma só palavra — porém fez uma cara... — acho que você entende o que eu quero dizer. O tal de dr. Leidner é arqueólogo e anda fazendo escavações aí pelo deserto, sei lá onde, para algum museu americano.

Bem, querida, tenho de terminar. Aquilo que você me contou sobre o pequeno Stubbins achei simplesmente um disparate! O que foi que a superintendente disse?

Por agora é isso.

De sua sempre amiga,
Amy Leatheran.

Pondo a carta dentro do envelope, endereçou-o à irmã Curshaw, Hospital St. Christopher, Londres.

Quando tampava a caneta, um funcionário nativo se aproximou.

— Tem um moço perguntando pela senhora. O dr. Leidner.

A enfermeira Leatheran virou a cabeça e avistou um homem de estatura mediana, ombros ligeiramente caídos, barba castanha e olhar manso, cansado.

O dr. Leidner viu uma mulher de 32 anos, de porte elegante e seguro, rosto bem-humorado, olhos azuis meio saltados e lustrosa cabeleira castanha. Achou que dava a impressão exata que uma enfermeira especializada em casos de pacientes nervosos deve dar. Alegre, robusta, sagaz e positiva.

A enfermeira Leatheran, na sua opinião, servia.

2
Apresentando Amy Leatheran

Não tenho pretensões de escritora nem sou autoridade em literatura. Faço isto simplesmente porque o dr. Reilly pediu, e de certo modo é difícil recusar quando ele pede alguma coisa.

— Ah, mas doutor — protestei —, eu não tenho o mínimo jeito para isso.

— Bobagem! — retrucou. — Escreva como se fossem anotações sobre um caso clínico, se quiser.

Pensando bem, é *possível* encará-los por esse prisma.

O dr. Reilly explicou. Disse que uma descrição simples, sem rebuços, do que sucedeu em Tell Yarimjah era simplesmente indispensável.

— Se for escrita por uma das partes interessadas, ninguém há de acreditar. Vão dizer que, de um modo ou de outro, os fatos estão distorcidos.

E, naturalmente, tinha razão. Eu havia participado de tudo e, no entanto, continuava sendo uma estranha, por assim dizer.

— Por que o senhor mesmo não escreve, doutor? — perguntei.

— Não estive lá... você esteve. Além do mais — acrescentou, com um suspiro —, minha filha não quer.

O modo como ele se submete àquela pequena atrevida é positivamente vergonhoso. Eu já tinha um comentário na ponta da língua, quando vi seus olhos brilharem. Esse é que era o mal do dr. Reilly. Nunca se sabia quando ele estava brincando. Sempre dizia as coisas com o mesmo jeitão vagaroso, melancólico — e metade das vezes havia aquele brilho por baixo.

— Bom — declarei, meio em dúvida —, talvez eu *possa*.

— Claro que pode.

— Só não sei muito bem por onde começar.

— Por isso, não. Há um sistema infalível. Comece pelo começo, vá até o fim e depois pare.

— Mas nem sequer sei direito onde e de que maneira a coisa começou — insisti hesitante.

— Olhe, enfermeira, a dificuldade de começar não há de ser nada em comparação com a de saber onde terminar. Pelo menos comigo é assim; toda vez que tenho de fazer discurso, alguém precisa puxar-me pela ponta do fraque, me obrigando a sentar à força.

— Ah, o senhor está brincando, doutor.

— Falo com a máxima seriedade. Então, como é?

Outra coisa me preocupava. Após um certo momento de hesitação, desabafei:

— Sabe, doutor, eu acho que sou propensa, de vez em quando, a ser... bem, um tanto *pessoal*.

— Graças a Deus, criatura! Quanto mais pessoal melhor! Esta é uma história de seres humanos... e não de bonecos! Seja pessoal... tendenciosa... pérfida... faça o que bem entender! Escreva como quiser. A gente sempre pode cortar os trechos injuriosos posteriormente! Não perca mais tempo. Você é uma mulher prudente e fará uma descrição sensata e judiciosa do negócio todo.

Aquilo colocou um ponto final nas minhas objeções. Prometi esforçar-me ao máximo.

E cá estou, pronta para começar. Só que, como expliquei ao doutor, é difícil resolver exatamente por onde começar.

Creio que seria melhor apresentar-me em poucas palavras. Tenho 32 anos de idade e meu nome é Amy Leatheran. Fiz meu aprendizado no St. Christopher e depois passei dois anos na maternidade. Trabalhei também, um bocado de tempo, para particulares e, durante quatro anos, na Casa de Saúde de Miss Bendix, em Devonshire Place. Vim para o Iraque em companhia de uma tal de Mrs. Kelsey. Quando o filho dela nasceu, fui eu quem tratou de tudo. Ela e o marido estavam de viagem marcada para Bagdá e já tinham contratado uma enfermeira pediatra que morava há alguns anos naquela cidade em casa de uma família amiga, cujos filhos estavam para regressar à Inglaterra a fim de frequentar a escola, e concordara em ficar com Mrs. Kelsey quando partissem. Mrs. Kelsey era franzina e se mostrou inquieta em fazer uma viagem tão longa com uma criança ainda de colo, por isso o major Kelsey providenciou para que eu a acompanhasse, cuidando dela e do nenê. Minha passagem de volta correria por conta do casal, a menos que encontrássemos alguém que precisasse de uma enfermeira durante a viagem de regresso. Bem, não há necessidade de descrever os Kelsey — o nenê era um encanto e Mrs. Kelsey bastante simpática, embora pendesse um pouco para o gênero que vive se amofinando. Gostei imensamente da viagem. Nunca fizera antes uma viagem tão longa por mar.

Conheci o dr. Reilly a bordo. Era um homem de cabelo preto e cara comprida, que dizia coisas extraordinariamente cômicas numa voz baixa e triste. Desconfio de que se divertia à minha custa, fazendo as afirmações mais extravagantes só para testar o limite da minha credulidade. Trabalhava como cirurgião em um lugar chamado Hassanieh — a um dia e meio de distância de Bagdá.

Eu já estava há uma semana, mais ou menos, em Bagdá quando topei com ele na rua. Perguntou a data em que eu deixaria o serviço dos Kelsey. Disse-lhe que era engraçado que me perguntasse isso pois, para dizer a verdade, os Wright (a outra família que mencionei) iam voltar para casa antes do que pretendiam e a enfermeira deles ficara livre para partir imediatamente.

Ele retrucou que já estava ciente desse fato e que por isso mesmo fizera a pergunta.

— Para falar com franqueza, enfermeira, tenho um emprego em vista para você.

— Algum doente?

Contraiu o rosto como se refletisse.

— Não se pode dizer que seja, precisamente, um doente. É apenas uma senhora que anda com... digamos... manias?

— Ah! — fiz eu.

(A gente, de modo geral, sabe o que *isso* significa: bebida ou entorpecentes!)

O dr. Reilly não entrou em detalhes. Foi discretíssimo.

— Sim — prosseguiu. — Uma tal de Mrs. Leidner. O marido é americano... mas natural da Suécia, para ser exato. É diretor de uma grande firma americana de escavações.

E explicou como a expedição estava explorando o local de uma vasta cidade assíria, algo assim como Nínive. A sede não distava realmente muito de Hassanieh, porém era lugar ermo e o dr. Leidner andava há certo tempo preocupado com a saúde da esposa.

— Não deu muitos detalhes sobre o caso mas parece que ela sofre de ataques periódicos de angústia nervosa.

— Ela passa o dia inteiro sozinha entre os nativos? — perguntei.

— Oh, não, há uma porção de gente por lá... uns sete ou oito. Não creio que jamais fique sozinha na casa. Porém, pelo visto, não há dúvida de que criou uma espécie de estado mórbido. Leidner arca com uma quantidade enorme de trabalho mas é louco pela esposa e se impressiona de ver que ela está nesse estado. Ele achou que ficaria mais tranquilo se soubesse que alguma pessoa responsável, entendida no assunto, estivesse tomando conta dela.

— E o que é que a própria Mrs. Leidner acha de tudo isso?

— Mrs. Leidner — respondeu gravemente o dr. Reilly — é uma mulher de grande beleza. Raramente mantém a mesma opinião dois dias seguidos. Mas, de modo geral, concorda com a ideia. — E acrescentou: — Ela é uma criatura estranha. Toda afetada e, segundo calculo, uma mentirosa de marca maior... Leidner, porém, parece acreditar piamente que ela vive morta de medo de não sei o quê.

— O que foi que ela lhe contou, doutor?

— Oh, ela não me consultou! Seja como for, não simpatiza comigo por uma série de motivos. Leidner é que me veio procurar e propor o plano. Então, enfermeira, que lhe parece a ideia? Conheceria um pouco o país antes de voltar para casa... vão continuar escavando por mais dois meses. E a escavação é um trabalho muito interessante.

Após um instante de hesitação, enquanto refletia sobre o assunto, respondi:

— Bom. Creio que não custa nada experimentar.

— Ótimo — apoiou o dr. Reilly, erguendo-se. — Leidner está atualmente em Bagdá. Vou pedir que venha procurá-la para combinar tudo direitinho.

Naquela mesma tarde o dr. Leidner apareceu no hotel. Era de meia-idade, com um jeito meio nervoso e hesitante. Havia uma espécie de delicadeza, bondade e até mesmo desamparo em sua atitude. Mostrava-se, pelo visto, devotadíssimo à esposa, porém foi muito vago a respeito do mal que a afligia.

— Sabe como é — falou, cofiando a barba num gesto bastante perplexo que depois percebi ser característico

— minha mulher se encontra realmente num estado de intenso nervosismo. Eu... estou muito preocupado com ela.

— Ela goza de boa saúde? — perguntei.

— Sim... oh, sim, creio que sim. Não, não creio que tenha qualquer problema de ordem física. Mas ela... bem... imagina coisas, compreende?

— Que tipo de coisas?

Ele, contudo, evitou responder, limitando-se a murmurar desconcertado:

— Fica toda inquieta sem o menor motivo. Eu realmente não vejo nenhum fundamento para tanto medo.

— Medo do quê, dr. Leidner?

— Oh, apenas... angústia nervosa, sabe como é — explicou, vago.

"Sou capaz de apostar", pensei, "que é viciada em drogas. E ele não percebe!" Como uma porção de maridos, que quebra a cabeça para atinar por que a esposa anda irritadiça e mudando de humor a cada momento.

Perguntei se Mrs. Leidner também concordava com a ideia de minha ida. O rosto dele se iluminou.

— Sim. Até me admirei. Tive a maior surpresa. Disse que seria ótima ideia. Afirmou que se sentiria muito mais segura.

Achei estranha a expressão. *Mais segura*. Que palavra tão esquisita para usar. Comecei a suspeitar de que Mrs. Leidner talvez sofresse das faculdades mentais. Ele prosseguiu com uma veemência um tanto infantil.

— Tenho certeza de que se entenderá perfeitamente com ela. É, de fato, uma criatura adorável — sorriu com candura. — Crê que a senhora lhe trará um grande alívio. Foi o que eu também julguei no primeiro instante que a vi. Se me permite dizê-lo, dá impressão de ser tão esplendidamente saudável e cheia de sensatez. Estou certo de que é a pessoa indicada para Louise.

— Bem, não custa tentar, dr. Leidner — declarei, toda animada. — Espero pelo menos poder ser útil à sua esposa. Quem sabe ela anda nervosa por causa dos nativos?

— Oh, meu Deus, não — sacudiu a cabeça, achando graça da ideia. — Minha mulher gosta muito dos árabes... aprecia a simplicidade e o senso de humor deles. Esta já é sua segunda temporada aqui... estamos casados há menos de dois anos... mas ela já fala árabe relativamente bem.

Fiquei um minuto em silêncio e depois fiz nova tentativa.

— Não dá pro senhor explicar melhor a respeito do que sua esposa tem medo, dr. Leidner? — perguntei.

Ele hesitou. Finalmente respondeu em voz lenta:

— Espero... acredito... que ela mesma lhe explique.

E não consegui arrancar mais nada dele.

3
Rumores

Combinou-se que eu seguiria para Tell Yarimjah na semana seguinte. Mrs. Kelsey estava se instalando em sua casa em Alwiyah e fiquei contente de poder aliviar um pouco a carga que lhe pesava sobre os ombros.

Durante esse período ouvi uma ou duas alusões à expedição de Leidner. Um amigo de Mrs. Kelsey, jovem major da aeronáutica, franziu os lábios, surpreendido.

— Linda Louise! — exclamou. — Então essa é a última dela? —Virou-se para mim: — Sabe, enfermeira, ela sempre foi conhecida como Linda Louise. Fomos nós que lhe demos o apelido.

— É tão bonita assim? — perguntei.

— A julgar pela opinião que faz de si mesma... *Ela* acha que é!

— Ora John, deixe de maldade — censurou Mrs. Kelsey. — Você sabe que não é só ela que tem essa opinião. Uma porção de gente andou enrabichada por ela.

— Talvez você tenha razão. Já está meio madura mas ainda tem certa atração.

Morte na Mesopotâmia 19

— Você ficou completamente derrubado — frisou Mrs. Kelsey, rindo.

O major da aeronáutica corou.

— Bem — admitiu, bastante envergonhado —, ela é insinuante. Quanto a Leidner, venera o próprio chão que ela pisa... e todo o resto da expedição é também obrigado a venerar! É condição indispensável!

— Quantos são ao todo? — perguntei.

— Há tipos de toda espécie e nacionalidade, enfermeira — respondeu o major alegremente. — Um arquiteto inglês, um padre francês de Cartago... que decifra as inscrições... placas e coisas assim, sabe? E depois tem Miss Johnson, também inglesa... uma espécie de pau para toda obra. E um gordinho, que tira fotografias... é americano. E os Mercado. Só Deus sabe de que nacionalidade são. Ela até que não é velha... uma criatura com jeito sorrateiro... e, ah!... como odeia Linda Louise! Há ainda dois rapazes, e acho que só. Uma salada de gente excêntrica, mas na maioria simpática... não concorda, Pennyman?

Consultava um homem idoso, que estava pensativo, a girar um *pince-nez* entre os dedos.

O velho teve um sobressalto e levantou os olhos.

— É... sim... muito simpática, mesmo. Quer dizer, tomados individualmente. Mercado, claro, é um sujeito meio estranho...

— Ele tem uma barba tão *esquisita* — frisou Mrs. Kelsey. — Bem rala.

O major Pennyman seguiu adiante sem fazer caso da interrupção.

— Os dois fedelhos são simpáticos. O americano é um pouco calado mas o inglês fala até demais. Gozado, em geral sucede o contrário. Já Leidner é um camarada para lá de agradável... tão simples e despretensioso. É, individualmente são todos ótimos para convivência. Mas não sei por que, talvez fosse imaginação minha, porém da última vez que fui lá tive uma impressão curiosa de que havia qualquer coisa errada. É difícil dizer exatamente o que era.

Ninguém parecia estar à vontade. Sentia-se uma estranha atmosfera de tensão. Talvez vocês me entendam melhor se eu disser que todo mundo servia-se da manteiga na mesa com excesso de delicadeza.

Um tanto ruborizada, porque não gosto de manifestar minhas opiniões pessoais, lembrei:

— Quando as pessoas vivem confinadas no mesmo lugar, isso acaba dando nos nervos. Sei disso por experiência própria em hospitais.

— Tem razão — concordou o major Kelsey —, mas a temporada mal começou, não houve tempo suficiente para causar essa irritação de caráter tão especial.

— Uma expedição, provavelmente, se assemelha a uma miniatura da nossa vida aqui — disse o major Pennyman. — Com suas *panelinhas*, rivalidades e ciúmes.

— Ao que me consta, este ano há uma porção de caras novas — observou o major Kelsey.

— Deixe-me ver — o major da aeronáutica contou nos dedos. — O jovem Coleman é novo, Reiter também. Emmott já esteve aqui no ano passado, tal como os Mercado. O padre Lavigny é uma cara nova. Veio substituir o dr. Byrd, que adoeceu e não pôde vir. Carey, lógico, já é veterano. Nunca faltou, desde o início, há cinco anos. Miss Johnson tem sido quase tão assídua quanto ele.

— Sempre imaginei que todos se dessem bem em Tell Yarimjah — comentou o major Kelsey. — Parecia uma família tão unida... o que é realmente de admirar quando se conhece a natureza humana! Tenho certeza de que a enfermeira Leatheran concorda comigo.

— Pois não digo que não! — repliquei. — Já presenciei cada briga em hospitais só por causa de ninharias que nem um bule de chá...

— Sim, a gente tende a ficar mesquinho em comunidades acanhadas — comentou o major Pennyman. — Mesmo assim, creio que há qualquer coisa anormal nesse caso. Leidner é um sujeito tão delicado, tão modesto, com tato realmente excepcional. Sempre conseguiu manter o contentamento e as boas relações mútuas na expedição. Entretanto, outro dia, reparei que a situação estava de fato tensa.

Mrs. Kelsey soltou uma risada.

— E você não percebe a explicação? Ora, é óbvia!

— Como assim?

— Mrs. Leidner, lógico.

— Ah, Mary — revidou o marido —, ela é uma mulher maravilhosa... não é do tipo que vive brigando.

— Eu não disse que ela vivia brigando. Ela *provoca* brigas!

— De que maneira? E por quê?

— Por que? Ora! Porque se entedia. Não é arqueóloga, está meramente casada com um homem que é. Aborrece-se privada de quaisquer divertimentos e por isso inventa seus próprios dramas. Diverte-se provocando os outros.

— Mary, você está afirmando sem saber. Pare de imaginar coisas.

— Claro que estou imaginando! Mas você vai ver como tenho razão. Não é à toa que Linda Louise se parece com a Mona Lisa! Talvez ela não tenha má intenção, porém, gosta de ver sangue.

— Só vive para Leidner.

— Ah, puxa vida! Não estou insinuando intrigas baratas. Mas essa mulher é uma *allumeuse*.

— Vocês são tão boazinhas umas com as outras — ironizou o major Kelsey.

— Eu sei. Somos muito maldosas, na opinião dos homens. Mas quando se trata de nosso próprio sexo, em geral acertamos.

— Contudo — retrucou o major Pennyman, pensativo —, mesmo admitindo que as suposições de Mrs. Kelsey não sejam injustas, creio que não explicam aquele curioso estado de tensão... semelhante até a sensação que a gente tem antes de uma tempestade. Deu-me a nítida impressão de que o temporal ia desabar a qualquer momento.

— Ei, não assustem Miss Leatheran — ralhou Mrs. Kelsey.

— Ela vai para lá daqui a três dias e desse jeito perderá o ânimo.

— Oh, não há perigo — respondi, rindo.

Mesmo assim refleti bastante sobre o que ouvira. Veio-me à lembrança o estranho uso que o dr. Leidner fizera da expressão *mais segura*. Seria o temor misterioso da esposa, inconfesso ou talvez expresso, que estava contagiando o resto da comitiva? Ou era uma tensão verdadeira (ou, sabe-se lá, seu motivo desconhecido) que reagia sobre os nervos *dela*?

Procurei no dicionário a palavra *allumeuse*, empregada por Mrs. Kelsey, mas não pude entender o sentido.

Bom, pensei, *o remédio é esperar para ver*.

4
Minha chegada a Hassanieh

Três dias depois, parti para Bagdá.

Fiquei com pena de deixar Mrs. Kelsey e o nenê, que estava um encanto e se desenvolvia magnificamente, aumentando de peso toda semana, como convinha. O major Kelsey me levou à estação, demorando-se até o último minuto. Na manhã seguinte, eu chegaria a Kirkuk, onde encontraria alguém à minha espera.

Dormi muito mal. Nunca durmo direito em trens e fui perturbada por pesadelos.

No outro dia, porém, quando olhei pela janela, vi que o tempo estava lindo e senti interesse e curiosidade pelas pessoas que ia conhecer.

Parado na plataforma, hesitante e examinando os arredores, avistei um jovem que vinha em minha direção. Tinha o rosto redondo e rosado. Para falar com franqueza, jamais encontrei em toda minha vida uma criatura que se parecesse tanto com um rapaz tirado de um dos livros de Mr. P.G. Wodehouse.

— Olá, olá, olá, como vamos? — saudou. — Você é a enfermeira Leatheran? Ora, claro que tem que ser... é óbvio. Ha! Ha! Meu nome é Coleman. Foi o dr. Leidner que me mandou recebê-la. Como está se sentindo? Viagem abominável, hem? Então não sei como são esses trens? Bem, aqui estamos... já tomou café? É esta a sua bagagem? Puxa, você é um bocado modesta, não? Mrs. Leidner tem quatro malas e um baú... para não mencionar uma caixa de chapéus, um travesseiro especial e não sei que mais. Não estou falando demais? Venha tomar o velho ônibus.

Do lado de fora, à nossa espera, havia um veículo que mais tarde soube que chamavam de camioneta. Lembrava um misto de furgão, caminhão de carga e simples automóvel. Mr. Coleman me ajudou a entrar, explicando que seria aconselhável sentar ao lado do motorista para sentir menos solavancos.

Solavancos! É de admirar que a geringonça inteira não se desfizesse em pedaços! E que estrada!... Não passava de uma espécie de trilha, sulcada de buracos. E depois ainda falam das glórias do Oriente! Só de lembrar nossas esplêndidas rodovias, dava saudade da Inglaterra.

Mr. Coleman, curvado para a frente no banco de trás, passou o tempo todo gritando em meus ouvidos.

— A trilha está em ótimas condições — berrou, logo após termos sido jogados do assento, quase batendo a cabeça no teto.

E, a julgar pelas aparências, falava com a máxima seriedade.

— É muito bom... estimula o fígado — anunciou. — Você deve saber disso, enfermeira.

— Um fígado estimulado não me vai adiantar de nada se eu ficar com a cabeça rachada — retruquei, cáustica.

— Precisava ver como isso fica depois que chove! As derrapagens são fabulosas! A maior parte do tempo a gente viaja de lado.

Preferi não comentar.

Por fim tivemos de atravessar o rio, o que foi feito na barca mais doida que se possa imaginar. A meu ver, só por milagre alcançamos a outra margem mas todo mundo parecia encarar a façanha com a maior naturalidade.

Levamos cerca de quatro horas para chegar a Hassanieh, que, para minha surpresa, era uma localidade bastante grande. Parecia muito bonita, também, vista assim do outro lado do rio — toda branca, uma visão de conto de fadas, cheia de minaretes. Mas depois de cruzar a ponte e entrar na cidade, a coisa mudava um pouco de figura. O fedor era incrível, e tudo estava periclitante, caindo em ruínas, com lodo e confusão por toda parte.

Mr. Coleman me conduziu à residência do dr. Reilly, onde, segundo disse, o doutor me esperava para almoçar.

O dr. Reilly, como sempre, foi muito gentil e a casa, aliás, era ótima, com banheiro, e tudo novo em folha. Tomei um bom banho, e quando tornei a vestir o uniforme e desci ao andar térreo já me achava com excelente disposição.

O almoço estava pronto e sentamos à mesa, o doutor desculpando-se pela filha que, segundo ele, sempre chegava atrasada.

Tínhamos acabado de saborear um delicioso prato de ovos avinagrados quando entrou uma moça e o dr. Reilly anunciou: — Enfermeira, esta é a minha filha Sheila.

Apertou-me a mão, dizendo que esperava que tivesse feito boa viagem, tirou o chapéu, acenou friamente com a cabeça para Mr. Coleman e sentou-se.

— Então, Bill? — perguntou. — Como vão as coisas?

Ele se pôs a falar sobre não sei que festa que ia haver no clube e eu aproveitei para examiná-la melhor.

Confesso que não me agradou muito. Era fria demais para o meu gosto. Tipo um tanto seco, apesar de bonita. Cabelo preto e olhos azuis — com o rosto meio pálido e a costumeira boca pintada. Tinha um jeito calmo e sarcástico de falar que me aborrecia um pouco. Fazia lembrar uma principiante que certa vez orientei — boa trabalhadora, reconheço, mas cujos modos sempre me irritaram.

Fiquei com a impressão de que Mr. Coleman estava caído por ela. De vez em quando gaguejava e sua palestra se tornava ligeiramente mais imbecil do que antes, se possível! Parecia um cachorro grande e idiota, sacudindo o rabo para fazer festa à dona.

Depois do almoço, o dr. Reilly foi para o hospital, Mr. Coleman precisava comprar umas coisas na cidade e Miss

Reilly perguntou se eu queria dar um passeio ou preferia ficar em casa. Disse que Mr. Coleman estaria de volta para me buscar dentro de uma hora, mais ou menos.

— Há algo para se ver? — indaguei.

— Há uns recantos pitorescos — informou. — Só que não sei se lhe interessariam. São extremamente sujos.

A maneira com que disse isso me exasperou. Nunca fui capaz de achar que o aspecto pitoresco desculpasse a sujeira.

Afinal levou-me ao clube, que era bastante simpático, dominando o rio, e onde havia jornais e revistas inglesas.

Quando voltamos para casa, Mr. Coleman ainda não tinha chegado. Então sentamos e conversamos um pouco. De certo modo, não foi fácil.

Ela me perguntou se eu já entrara em contato com Mrs. Leidner.

— Não — respondi. — Apenas com o marido.

— Oh! — exclamou. — Como imagina que ela seja?

Conservei-me calada. Ela continuou:

— Gosto muito do dr. Leidner. Todo mundo gosta, aliás.

"O que equivale a dizer", pensei, "que antipatizava com a esposa."

Mantive a mesma mudez. Então ela me perguntou abruptamente:

— O que é que ela tem? O dr. Leidner não lhe contou?

Eu não queria começar com mexericos sobre uma paciente antes mesmo de conhecê-la, por isso respondi de forma evasiva:

— Ouvi dizer que está um pouco enfraquecida e necessita de cuidados.

Soltou uma risada — que me soou malévola — seca e abrupta.

— Santo Deus — disse. — Será que nove pessoas para cuidar dela não bastam?

— Suponho que todas vivam ocupadas — retruquei.

— Ocupadas? Claro que sim. Mas Louise recebe tratamento prioritário... ela se encarrega disso, não tenha receio.

"É", disse comigo mesma. "Você não gosta dela."

— Em todo caso — prosseguiu Miss Reilly —, não sei o que ela quer com uma enfermeira profissional. Eu julgava que uma mera acompanhante estivesse mais de acordo com sua linha; não alguém que lhe ponha o termômetro na boca, tome o pulso e devolva-lhe o sentido da realidade.

Bom, devo confessar que fiquei curiosa.

— Acha então que ela não está doente? — perguntei.

— Evidente que não! A mulher é mais forte que um touro. "Coitada da Louise, não dormiu nada." "Está com cada olheira." Pudera... pintadas a lápis azul! Tudo para chamar atenção, para botar todo mundo a seus pés, fazendo estardalhaço por causa dela!

Não deixava de ter certa lógica, claro. Já encontrei (como qualquer enfermeira) muitos casos de hipocondríacos que se divertem em manter a família inteira dançando à sua disposição. E vá um médico ou uma enfermeira dizer: "Você não sofre de coisíssima nenhuma!", para ver o que acontece. Em primeiro lugar, não acreditam. E ficam tomados de uma indignação tão grande que até parece verdadeira.

Naturalmente, era possível que Mrs. Leidner fosse um caso desse gênero. O marido, é lógico, seria o primeiro a cair na esparrela. Em matéria de doença, como já tive oportunidade de constatar, os maridos são uma raça de crédulos. No entanto, mesmo assim, não encaixava lá muito bem com o que eu ouvira dizer. Não combinava, por exemplo, com aquela expressão *mais segura*.

Engraçado como se gravara, por assim dizer, em minha memória.

Refletindo sobre isso, perguntei:

— Mrs. Leidner é nervosa? Anda inquieta, por exemplo, por viver longe da civilização?

— Por que haveria de andar? Deus do céu, moram dez pessoas naquela casa! E também têm guardas... por causa das antiguidades. Oh, não, ela não é nervosa... ao menos...

Pareceu surpreendida por alguma ideia e parou — continuando lentamente ao cabo de poucos instantes:

— Que engraçado você perguntar isso.

— Por quê?

— O tenente Jervis e eu fomos até lá outro dia. Era de manhã. Quase todo mundo estava nas escavações. Ela escrevia uma carta e creio que não nos ouviu chegar. O garoto encarregado de anunciar as visitas, para variar, não se achava por perto, e nos encaminhamos diretamente à varanda. Aparentemente ela enxergou a sombra do tenente Jervis contra a parede... e soltou um berro! Pediu desculpas, lógico. Disse que julgou que fosse um desconhecido. O que é um pouco esquisito. Isto é, ainda que se tratasse de um desconhecido, para que tanto pânico?

Acenei com a cabeça, pensativa.

Miss Reilly calou-se; depois, de repente, desabafou:

— Sei lá o que há com eles este ano. Todo mundo parece andar com os nervos em ponto de bala. Johnson anda tão carrancuda que nem sequer abre a boca. David paga para não falar. Bill, naturalmente, foi vacinado com agulha de vitrola, e de certo modo a tagarelice dele só serve para piorar a situação. Carey faz uma cara que a gente diria que algo está por acontecer a qualquer hora. E todos se olham como se... como se... Oh, não sei, mas é *esquisito*.

"Era estranho", pensei, "que duas pessoas tão diferentes como Miss Reilly e o major Pennyman tivessem experimentado a mesma sensação."

Foi então que Mr. Coleman entrou, tomado do maior alvoroço. Alvoroço é bem o termo. Se viesse de língua de fora e súbito mostrasse um rabo para sacudir, ninguém se admiraria.

— Olá, olá, olá — disse. — Sem sombra de dúvida, sou o melhor sujeito para fazer compras neste mundo. Já mostrou à enfermeira as belezas da cidade?

— Ela não se impressionou — replicou Miss Reilly, sarcástica.

— Pudera — concordou Mr. Coleman com ardor. — Um lugarejo de última classe, caindo aos pedaços!

— Você não se entusiasma por coisas pitorescas ou antigas, não é, Bill? Não sei por que se tornou arqueólogo.

— Não me jogue a culpa. O culpado é o meu tutor, todo metido a erudito... membro do conselho da universidade... passa o tempo inteirinho de chinelos, no meio dos livros... vocês conhecem o gênero. Levou um choque danado com um pupilo que nem eu.

—Acho que você foi tremendamente burro em se dedicar à força a uma profissão que não lhe interessa — declarou a moça com rispidez.

— À força não, Sheila. À força não. O velho perguntou se eu tinha alguma profissão em vista; respondi que não e ele então arranjou uma temporada aqui para mim.

— Mas não é possível que você não tenha a mínima ideia do que *gostaria* de fazer! *Tem* de ter!

— Claro que tenho. Minha ideia é não trabalhar de jeito nenhum. O que eu gostaria de fazer é dispor de dinheiro à beça e me dedicar às corridas de automobilismo.

— Que absurdo! — protestou Miss Reilly.

Parecia irritada mesmo.

— Oh, eu compreendo que isso é totalmente impossível — concordou Mr. Coleman todo alegre. — Portanto, já que preciso fazer alguma coisa, pouco me interessa o que seja, desde que não fique dando duro o dia inteiro num escritório. A ideia de correr mundo até que me seduziu: "Lá vou eu", e aqui estou.

— Só imagino como você deve ser competente!

— Pois se engana. Posso levantar-me nas escavações e gritar "Y'Allah" junto com o resto da turma! E já que se tocou no assunto, não sou tão ruim assim no desenho. Imitar caligrafia sempre foi minha especialidade no colégio. Podia ter sido um falsificador de primeira ordem. Paciência, talvez ainda haja oportunidade. Se meu Rolls-Royce salpicar você de lama em algum ponto de ônibus, você saberá que optei pelo crime.

— Não acha que já é tempo de se mexer em vez de ficar aí falando feito uma matraca? — retrucou Miss Reilly friamente.

— Como somos hospitaleiros, hem, enfermeira?

— Tenho certeza de que Miss Leatheran está ansiosa para se acomodar.

— Você tem sempre certeza de tudo — replicou Mr. Coleman com um sorriso.

"E não se enganava", pensei. "Cadelinha presumida."

— Talvez fosse melhor a gente ir andando, Mr. Coleman — sugeri secamente.

— Tem razão, enfermeira.

Apertei a mão de Miss Reilly, agradeci-lhe e fomos embora.

— A Sheila é bonita para burro — disse Mr. Coleman. — Mas passa o tempo todo bronqueando com a gente.

O carro saiu da cidade e finalmente enveredou por uma espécie de senda entre plantações verdes. Era cheia de raízes e os solavancos recomeçaram.

Ao cabo de meia hora, mais ou menos, Mr. Coleman apontou para uma elevação à margem do rio à nossa frente.

— Tell Yarimjah — anunciou.

Pude enxergar figurinhas pretas caminhando de um lado para outro que nem formigas.

Enquanto eu observava, de repente todas começaram a descer correndo a elevação.

— Hora de largar — informou Mr. Coleman. — Terminou o serviço. Paramos uma hora antes do pôr do sol.

A sede da expedição ficava um pouco afastada da margem.

O motorista fez uma curva e entrou, batendo numa arcada estreita demais. Tínhamos chegado.

O prédio era uma construção ao redor de um pátio. A princípio ocupava apenas a ala sul, com um punhado de dependências secundárias na parte leste. A expedição completara a construção nos dois outros lados. Como mais tarde a planta da casa terá interesse especial, tracei um esboço aproximado.

Todas as peças comunicavam com o pátio, a exemplo da maioria das janelas — com exceção da ala sul primitiva, onde abriam também para o campo lá fora. Estas últimas, porém, tinham grades. No canto sudoeste havia uma escada para o terraço que, revestido do parapeito, cobria toda a ala sul, mais alta do que as outras três.

Segui Mr. Coleman ao longo da parte leste do pátio, passando por uma grande varanda ao ar livre que ocupava o centro da ala sul. Ele abriu uma porta lateral e entramos numa sala onde várias pessoas se achavam sentadas em torno de uma mesa, tomando chá.

— Oba, pessoal! — saudou Mr. Coleman. — Aqui está Florence Nightingale.

A mulher que ocupava a cabeceira da mesa se levantou e me veio acolher.

Via-me, pela primeira vez, diante de Louise Leidner.

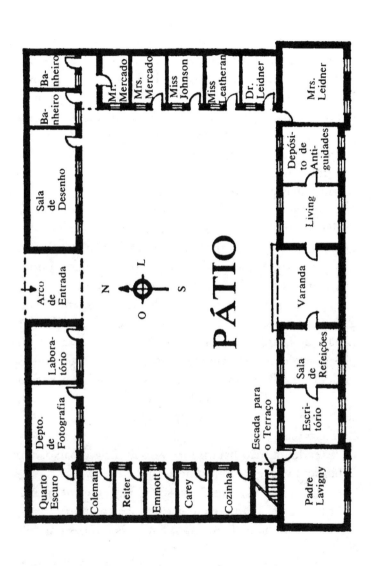

5
Tell Yarimjah

Sou forçada a reconhecer que minha primeira impressão ao ver Mrs. Leidner foi de completa surpresa. A gente sempre procura imaginar como é uma pessoa de quem já se ouviu falar. Eu ficara com a ideia nítida de que Mrs. Leidner era uma mulher morena e rabugenta. O tipo da nervosa, toda impaciente. E depois, também, esperava que fosse... ora, sejamos francos... meio vulgar.

Não era nada do que eu havia imaginado! Para começar, tinha o cabelo bem louro. Não era sueca, que nem o marido, mas a julgar pelas aparências, até que podia ser. Possuía aquela alvura nórdica que não se encontra com muita frequência. Não devia ser moça. Entre os trinta e quarenta, eu diria. O rosto era um pouco pálido e já havia fios grisalhos naquela cabeça dourada. Os olhos, porém, eram lindíssimos. Foram os únicos olhos que encontrei até hoje que pude afirmar que fossem realmente lilases. Eram enormes, com ligeiras sombras por baixo. Magérrima e de aparência frágil, se eu disser que causava a impressão de extremo cansaço e, ao mesmo tempo, intensa vivacidade, talvez pareça incoerência, mas foi essa a sensação que senti. Percebi, também, que ali estava uma dama da cabeça aos pés. O que sempre significa algo — mesmo hoje em dia.

Estendeu a mão para mim e sorriu. Falava baixo, com delicadeza e leve sotaque americano.

— Estou tão contente com sua vinda, enfermeira. Não quer tomar chá? Ou prefere ver seu quarto antes?

Aceitei o chá e ela me apresentou às pessoas em volta da mesa.

— Esta é Miss Johnson... e Mr. Reiter. Mrs. Mercado. Mr. Emmott. O padre Lavigny. Meu marido não demora a chegar. Sente-se aqui, entre o padre Lavigny e Miss Johnson.

Fiz como pedia e Miss Johnson começou a falar comigo, perguntando sobre a viagem e assim por diante.

Simpatizei com ela. Lembrava uma superintendente dos meus tempos de principiante, que nós todas admirávamos e para quem tínhamos prazer em trabalhar com afinco.

Pelos meus cálculos, devia andar perto dos cinquenta anos, de aparência francamente masculina, o cabelo grisalho cortado bem curto. Apesar de meio grossa e abrupta, a voz era agradável. Tinha a cara feia, tosca, um nariz arrebitado quase cômico, que costumava esfregar irritada quando alguma coisa a aborrecia ou desconcertava. Vestia um costume de mescla, acentuando ainda mais o aspeto varonil. Terminou dizendo que nascera em Yorkshire.

O padre Lavigny me pareceu um pouco assustador. Alto, de vasta barba preta, usava *pince-nez*. Eu ouvira Mrs. Kelsey comentar que ali havia um monge francês, e então percebi que trajava hábito, de tecido de lã branco. Fiquei bastante admirada, pois sempre imaginei que depois de entrar para o mosteiro não se saísse nunca mais.

Mrs. Leidner falava-lhe quase só em francês mas ele se dirigiu a mim num inglês até aceitável. Notei que tinha o olhar arguto, observador, que analisava tudo rapidamente.

Os outros três se achavam à minha frente. Mr. Reiter, um rapaz forte, de óculos e vasta cabeleira loura ondulada, tinha olhos azuis muito redondos. Acho que em criança devia ter sido uma graça, da qual hoje, porém, nada restava! De fato, lembrava mais um porquinho. O outro rapaz usava o cabelo à escovinha. De cara afunilada, meio engraçada, possuía bela dentadura e ficava muito atraente quando sorria. Entretanto falava pouco, limitando-se a sacudir a cabeça ou responder por monossílabos quando se dirigiam a ele. Tal como Mr. Reiter, era americano. Por último, havia Mrs. Mercado. Não pude vê-la direito, porque cada vez que tentava fazê-lo eu a surpreendia me encarando, numa espécie de curiosidade embaraçosa, para usar de um eufemismo. Do jeito que procedia, dir-se-ia que as enfermeiras de hospital constituíssem uma fauna de animais exóticos. Que criatura mal-educada!

Bastante moça — não teria mais de 25 anos —, de tez morena e ar sorrateiro, se é que me faço entender, era, de certo modo, até bonita, mas tendendo para o que mamãe costumava chamar "sobre o amulatado". Estava com um suéter espalhafatoso, combinando com a cor das unhas. Tinha rosto estreito, lembrando um pássaro, faminto, de olhos grandes e lábios finos, desconfiados.

O chá — uma ótima mistura, bem forte — era excelente, nada parecido com a fraca infusão que Mrs. Kelsey sempre fazia e que representara um autêntico flagelo para mim.

Havia torradas, geleia, um prato de pãezinhos açucarados e fatias de bolo. Mr. Emmott, cheio de solicitude, foi-me passando tudo. Apesar de sua discrição, sempre dava mostras de notar quando meu prato ficava vazio.

Por fim Mr. Coleman voltou, fazendo o rebuliço de costume, ocupando o lugar ao lado de Miss Johnson. Não parecia haver nenhum problema com os nervos *dele*. Falava sem parar.

Lá pelas tantas Mrs. Leidner deu um suspiro e lançou-lhe um olhar irritado mas que não surtiu o mínimo efeito. Como tampouco o fato de que Mrs. Mercado, alvo da maior parte de sua conversação, estivesse excessivamente interessada em me observar para que lhe pudesse dar mais que respostas maquinais.

No momento em que terminávamos, o dr. Leidner e Mr. Mercado chegaram das escavações.

O primeiro me cumprimentou com a delicadeza habitual. Reparei que seus olhos procuraram logo, ansiosos, o rosto da esposa, parecendo aliviados com o que viram. Depois sentou-se na outra ponta da mesa, e Mr. Mercado ocupou o lugar deixado vago por Mrs. Leidner. Era alto, magro, taciturno, bastante mais velho que a cara-metade, de tez pálida e com um barba rala, esquisita, pouco estética. Fiquei contente com sua chegada, pois assim a esposa parou de me encarar, transferindo a atenção para ele, observando-o com uma espécie de inquietude que achei um tanto bizarra. Mr. Mercado mexeu o chá, distraído, e não pronunciou uma só palavra. Nem sequer tocou na fatia de bolo que tinha no prato.

Sobrava ainda um lugar, e finalmente a porta se abriu e entrou um homem.

No momento em que vi Richard Carey, achei que era um dos homens mais bonitos que havia visto em toda a minha vida — e no entanto duvido que fosse realmente assim. Dizer que um homem é bonito e, ao mesmo tempo, dizer que se parece com uma caveira implica cair em flagrante contradição, e contudo era fato. A cabeça dava impressão de ter a pele excepcionalmente esticada sobre os ossos — mas eram ossos perfeitos. O contorno descarnado do queixo, fronte e testa apresentava um delineamento tão nítido que lembrava uma estátua de bronze. Nesse semblante magro e tisnado de sol brilhavam os dois olhos mais intensamente azuis que jamais encontrei. Devia ter cerca de um metro e oitenta de altura e, segundo calculo, pouco menos de quarenta anos.

— Este é Mr. Carey — disse o dr. Leidner —, o nosso arquiteto, enfermeira.

Ele murmurou qualquer coisa numa voz inglesa, simpática e inaudível, e sentou do lado de Mrs. Mercado.

— Receio que o chá esteja um pouco frio, Mr. Carey — avisou Mrs. Leidner.

— Oh, não tem importância, Mrs. Leidner — retrucou ele. — A culpa é minha por chegar tarde. Eu queria terminar de traçar aqueles muros.

— Geleia, Mr. Carey? — ofereceu Mrs. Mercado.

Mr. Reiter passou as torradas.

Então me lembrei da frase do major Pennyman. "Talvez vocês me entendam melhor se eu disser que todo mundo se servia da manteiga na mesa com excesso de delicadeza."

Sim, aquilo era um pouco esquisito. Com um quê de cerimonioso. Dir-se-ia uma reunião de estranhos — não de pessoas que se conheciam — algumas até de longa data.

6
A primeira noite

Depois do chá, Mrs. Leidner me levou ao quarto que me fora reservado.

Talvez seja melhor eu fazer aqui uma breve descrição da disposição da casa. Muito simples, pode ser perfeitamente compreendida com uma rápida consulta à planta que tracei.

A ampla varanda descoberta possuía, de cada lado, uma porta que comunicava com as duas salas principais. A da direita, onde tínhamos tomado chá, servia para refeições. A da esquerda, réplica exata da anterior e usada como *living*, funcionava também como uma espécie de oficina sem caráter oficial — isto é, fazia-se ali certa quantidade de desenho (diverso do estritamente arquitetônico) e guardavam-se objetos de cerâmica mais delicados, para restauração posterior. Por lá entrava-se no depósito de antiguidades, recanto dos achados das escavações, espalhados por prateleiras, escaninhos e em cima de longos bancos e mesas. A única saída era pelo *living*.

Do outro lado do depósito de antiguidades achava-se o dormitório de Mrs. Leidner, cuja porta, porém, comunicava diretamente com o pátio interno. A exemplo das demais dependências dessa ala do prédio, tinha duas janelas gradeadas que abriam para o campo cultivado, lá fora. Contíguo ao quarto de Mrs. Leidner, mas sem nenhum meio de comunicação direta, ficava o quarto do dr. Leidner, o primeiro da parte leste da construção. A seguir vinha o meu. Depois, pela ordem, os de Miss Johnson, Mr. Mercado e Mrs. Mercado, até chegar, finalmente, nos dois pretensos banheiros.

(Quando usei, certa vez, o termo na presença do dr. Reilly, ele caiu na risada, dizendo que banheiro para ser digno do nome tinha que ser de fato banheiro! Seja como for, depois que a gente se acostuma com torneiras e encanamentos civilizados, parece estranho chamar dois

Morte na Mesopotâmia 37

cubículos com chão de barro e tinas de zinco, aonde a água é trazida em latas de querosene, de *banheiros!*)

Esse lado todo do prédio constituía uma ampliação, feita pelo dr. Leidner, da planta árabe primitiva. Os dormitórios eram todos idênticos, cada um com porta e janela que davam para o pátio.

Na ala norte situavam-se a sala de desenho, o laboratório e o departamento de fotografias.

Para voltar à varanda, a disposição das peças do lado oposto era praticamente a mesma. Havia a sala de refeições, ligando com o escritório, onde se conservavam os arquivos e procedia-se a catalogação e datilografia. Ao padre Lavigny coubera o maior dormitório, correspondente ao ocupado por Mrs. Leidner; usava-o para decifrar — não sei bem se é assim que se diz — as placas.

No canto sudoeste ficava a escada que conduzia ao terraço. Na ala oeste vinham, primeiro a cozinha, depois quatro quartos pequenos, destinados aos solteiros: Carey, Reiter e Coleman.

Na extremidade noroeste localizava-se o departamento fotográfico, com o quarto escuro ao lado. Vizinho e contíguo à única via de acesso — a arcada alta por onde tínhamos entrado — estava o laboratório. No exterior achavam-se as dependências dos empregados nativos, a casa de guarda dos soldados e cocheiras para os animais. A sala de desenho, à direita da arcada, ocupava o resto da ala norte.

Descrevo minuciosamente a distribuição das peças para não ser obrigada a repetir tudo mais tarde.

Como ia dizendo, Mrs. Leidner se incumbiu de me mostrar o caminho, deixando-me, finalmente, em meu quarto, fazendo votos para que me encontrasse à vontade e com tudo de que precisasse.

O quarto, embora pequeno, continha os móveis essenciais: cama, cômoda, lavatório e cadeira.

— Os garotos trarão água quente antes do almoço e do jantar... e pela manhã, naturalmente. A qualquer outra hora que quiser, basta sair no pátio, bater palmas e, quando um deles aparecer, pedir *"jib mai' har"*. Acha que se vai lembrar?

Eu disse que achava que sim, repetindo a frase de maneira meio titubeante.

— Isso mesmo. E grite com força. Os árabes nunca entendem nada do que a gente fala num tom *inglês* normal.

— Que coisa engraçada, as línguas — comentei. — Parece incrível que haja uma porção, tão diferentes.

Mrs. Leidner sorriu.

— Há uma igreja na Palestina onde se vê o *padre-nosso* escrito em... acho que noventa... idiomas diferentes.

— Puxa! — exclamei. — Preciso escrever para contar isso para minha tia. Ela vai achar fantástico.

Mrs. Leidner ajeitou distraidamente a jarra na bacia e mudou um pouco a posição da saboneteira.

— Tomara que se sinta contente aqui — disse. — E não se entedie muito.

— Em geral isso não me acontece — tranquilizei-a. — A vida não é suficientemente longa para tanto.

Não respondeu. Continuou a brincar com o lavatório, como se estivesse no mundo da lua.

De repente fixou os olhos azul-turquesa em meu rosto.

— O que foi exatamente que meu marido lhe disse, enfermeira?

Ora, uma pergunta desse gênero quase sempre obtém o mesmo tipo de resposta.

— Eu entendi que a senhora estava um pouco abatida e tudo o mais, Mrs. Leidner — repliquei, desenvolta. — E que apenas necessitava de alguém que cuidasse de si, livrando-a de preocupações.

Ela baixou devagar a cabeça, pensativa.

— É — disse. — É... acho que está muito bem.

Havia naquilo qualquer coisa de enigmático, mas não seria eu quem havia de insistir com perguntas. Preferi acrescentar:

— Espero que me deixe ajudá-la em tudo que tiver para fazer em casa. Não gosto de ficar ociosa.

Sorriu um pouco.

— Obrigada, enfermeira.

Depois sentou na cama e, um pouco para minha surpresa, começou a me interrogar com bastante firmeza. Digo um pouco para minha surpresa porque, desde o primeiro instante em que a vi, tive certeza de que Mrs. Leidner era uma dama. E uma dama, eu sabia por experiência, raramente mostra curiosidade pelos problemas íntimos alheios.

Mrs. Leidner, porém, parecia ansiosa em conhecer tudo o que se relacionasse comigo. Onde e há quanto tempo estudara. O que me tinha levado ao Oriente. Como se explicava que o dr. Reilly me houvesse recomendado. Chegou a perguntar se já estivera na América ou se possuía qualquer tipo de relações naquele país. Mais tarde percebi o significado de uma ou duas questões que me colocou e que na hora me pareceram totalmente descabidas.

Depois, repentinamente, mudou de conduta. Sorriu — um sorriso cálido, radiante — e declarou, da maneira mais cativante, que estava muito contente com minha vinda e que tinha certeza de que eu seria um consolo para ela.

Ergueu-se da cama e convidou:

— Não quer subir ao terraço para ver o crepúsculo? A esta hora em geral é uma beleza.

Acedi de bom grado.

Ao sairmos do quarto, perguntou:

— Havia muita gente no trem de Bagdá? Algum homem?

Respondi que não reparara em ninguém de modo especial. Na noite anterior encontrara dois franceses no carro restaurante. E uma comitiva de três sujeitos que, segundo deduzi pela conversa, tinha qualquer coisa a ver com o oleoduto.

Acenou com a cabeça, deixando escapar um som quase imperceptível, semelhante a um leve suspiro de alívio.

Subimos juntas ao terraço.

Mrs. Mercado estava lá, sentada no parapeito, enquanto o dr. Leidner, debruçado, examinava uma porção de pedras e cerâmicas partidas, dispostas em fila. Havia peças grandes que ele chamava de mós, e pilões, celtes e machados, e outros pedaços de olaria recobertos de desenhos esquisitos, uma quantidade como eu jamais tinha visto reunida de uma só vez.

—Venham para cá — gritou Mrs. Mercado. — Não é mesmo bonito *demais*?

O crepúsculo, sem dúvida, era belo. À distância, Hassanieh lembrava uma terra de sonho com o sol poente ao fundo, e o Tigre deslizando entre as largas margens parecia mais uma visão do que a realidade.

—Não é uma maravilha, Eric? — exclamou Mrs. Leidner.

O doutor levantou os olhos distraídos e murmurou:

— Sim, de fato, de fato.

E com esse comentário perfunctório, continuou separando os cacos.

Mrs. Leidner sorriu.

— Os arqueólogos veem apenas o que está debaixo dos seus pés. O céu e o firmamento para eles não existem.

Mrs. Mercado abafou um risinho.

— Oh, são tão esquisitos... você vai ver, enfermeira. — Fez uma pausa e depois acrescentou: — Estamos todos *tão* contentes com sua vinda. Andávamos preocupadíssimos por causa de nossa querida Mrs. Leidner, não é mesmo, Louise?

—Verdade? Não percebi entusiasmo em sua voz.

— Oh, sim. Ela esteve de fato *bem* mal, enfermeira. Tudo quanto foi espécie de pânico e fantasias. Sabe, quando me dizem de alguém "São apenas seus nervos", sempre respondo: "Mas o que pode ser *pior*?" São o que temos de mais vital, não é?

"Olha essas garras", pensei com meus botões.

— Pois não precisam preocupar-se mais comigo, Marie. A enfermeira vai cuidar de mim — retrucou Mrs. Leidner, sarcástica.

— Naturalmente que vou — afirmei, toda alegre.

— Então estou certa de que tudo vai melhorar — disse Mrs. Mercado. — Todos nós achamos que devia procurar um médico ou fazer *alguma coisa*. Seus nervos ficaram realmente em pedaços, não foi, minha cara Louise?

— A tal ponto que parece que acabou afetando os de vocês — respondeu Mrs. Leidner. — Não há outro assunto mais interessante para falar do que os meus malditos achaques?

Verifiquei então que Mrs. Leidner era o tipo de pessoa que facilmente cria inimizades. Havia uma acidez glacial em seu tom (não que eu a censurasse por isso) que provocou rubor nas faces um tanto lívidas de Mrs. Mercado. Tentou gaguejar qualquer coisa mas Mrs. Leidner já se levantara e fora reunir-se ao marido no outro lado do terraço. Duvido que ele tivesse ouvido seus passos antes que ela colocasse a mão em seu ombro; aí ergueu logo o rosto, revelando afeição e uma espécie de interrogação ansiosa na fisionomia.

Mrs. Leidner acenou de leve com a cabeça. Depois, de braços dados, caminharam até o fim do parapeito e finalmente desceram a escada lado a lado.

— Como ele cuida dela, não é? — comentou Mrs. Mercado.

— É — concordei. — Dá gosto ver.

Ela ficou me olhando de um jeito esquisito, com certa avidez, de soslaio.

— Na sua opinião, o que é mesmo que ela tem, hem, enfermeira? — indagou, abaixando um pouco a voz.

— Oh, não creio que seja nada de grave — respondi, muito animada. — Apenas anda meio cansada, no máximo.

Os olhos dela, tal como na hora do chá, não se desviavam de mim.

—Você trata de doentes mentais? — perguntou abruptamente.

— Oh, não, Santo Deus! — exclamei. — O que levou a senhora a pensar nisso?

Conservou-se calada um instante e depois disse:

— Sabe até que ponto ela andou esquisita? O dr. Leidner não lhe contou?

Não suporto falatórios sobre os meus casos. Aliás, por experiência, sei que geralmente é muito difícil descobrir a verdade através de parentes, e até descobri-la trabalha-se quase sempre no escuro, sem adiantar nada. Claro, quando há um médico no meio as coisas mudam de figura. Ele dá as instruções necessárias. Mas nesse caso não havia nada disso. O dr. Reilly não fora consultado em caráter profissional. E eu não tinha a firme certeza de que o dr. Leidner me tivesse revelado tudo o que sabia. Muitas vezes o instinto conjugal ensina a ser reticente — atitude sempre elogiável num marido. Mas mesmo assim, quanto mais eu soubesse, mais segura estaria sobre a linha a adotar. Mrs. Mercado (que logo classifiquei de cruel e totalmente rancorosa) estava, era óbvio, louca de vontade de falar. E, para ser franca, tanto sob o aspecto humano como profissional, eu queria ouvir o que ela tinha a dizer. Creio que minha curiosidade pode ser considerada, até certo ponto, natural.

— Pelo que entendi, Mrs. Leidner não se tem portado de modo muito normal ultimamente, não é? — perguntei.

Mrs. Mercado soltou uma risada antipática.

— Normal? Pois sim. Deixou-nos mortos de medo. Uma noite eram dedos batendo na janela do quarto dela. Depois foi uma mão, que não tinha braço. Mas quando chegou a um rosto amarelo, comprimido contra a vidraça... e então ela se aproximou correndo, para ver quem era, e não havia mais ninguém... olhe, eu lhe garanto, o negócio ficou um pouco *tétrico* demais.

—Talvez alguém quisesse pregar-lhe uma peça — sugeri.

— Que nada, pura imaginação. E três dias atrás, na hora do jantar, começaram a disparar tiros na aldeia... a mais de um quilômetro de distância... pois ela deu um pulo e se pôs a gritar... todos se apavoraram. E quanto ao dr. Leidner, correu para ela e se comportou da forma mais ridícula. "Não foi nada, meu bem, não é absolutamente nada", repetia a cada instante. Eu acho, sabe, enfermeira, que os homens às vezes *estimulam* as mulheres a ter essas fantasias histéricas. Pena, porque é uma coisa prejudicial. Não deviam alimentar ilusões.

— Quando *são* ilusões — frisei, mordaz.

— Que mais podiam ser?

Não retruquei porque não sabia o que dizer. Era um negócio engraçado. Os tiros e os gritos pareciam bastante naturais — para alguém que andasse nervoso, bem-entendido. Porém essa história esquisita de um rosto e uma mão fantasmagóricos já era diferente. Tive a impressão de que só restavam duas alternativas — ou Mrs. Leidner inventara tudo (tal como a criança que se exibe contando mentiras sobre o que nunca aconteceu só para se transformar no centro das atrações) ou então, como eu tinha sugerido, tratava-se de um trote deliberado que lhe queriam pregar. O tipo de troço, raciocinei, que um rapaz cheio de vitalidade mas sem imaginação, assim como Mr. Coleman, seria capaz de achar muito engraçado. Decidi observá-lo cuidadosamente. Os pacientes nervosos levam sustos tremendos por causa de brincadeiras idiotas.

— Ela tem um ar tão romântico, não lhe parece, enfermeira? — disse Mrs. Mercado, me olhando de esguelha. — A espécie de mulher para quem *acontecem* coisas.

— Já lhe aconteceram muitas? — perguntei.

— Bom, o primeiro marido morreu na guerra, quando tinha apenas vinte anos. Acho isso tão patético e romântico, não concorda?

— É uma maneira de dourar a realidade — respondi, irônica.

— Oh, enfermeira. Que comentário mais surpreendente!

Era fato mesmo. A quantidade de mulheres que a gente ouve dizer: "Se Donald... Arthur (ou seja lá o nome que for)... *ao menos* estivesse vivo." Às vezes acho que se ele estivesse, seria, na pior das hipóteses, um marido já idoso, barrigudo, prosaico e resmungão.

Começava a escurecer e propus que descêssemos. Mrs. Mercado concordou, perguntando se eu não gostaria de conhecer o laboratório.

— Meu marido deve estar lá, trabalhando.

Respondi que gostaria muitíssimo e dirigimo-nos para lá. Embora a luz estivesse acesa, não havia ninguém. Mrs. Mercado me mostrou alguns aparelhos e ornamentos de cobre que estavam sendo restaurados, além de uns ossos recobertos de cera.

— Onde será que anda o Joseph?

Olhou na sala de desenho. Carey estava trabalhando e mal levantou a cabeça quando entramos. Fiquei surpresa com a extraordinária tensão de sua fisionomia. De repente me ocorreu: "Este homem está no limite de suas forças. Dentro em breve qualquer coisa vai estourar." E me lembrei de que alguém mais havia observado também essa mesma intensidade.

Ao sairmos de novo, virei a cabeça pela última vez para olhá-lo. Estava curvado em cima do papel, os lábios bem cerrados, acentuando aquela semelhança de "caveira" sugerida pela estrutura óssea. Talvez fosse imaginação, mas achei-o parecido com um cavaleiro medieval pronto para entrar na liça e sabendo que vai ser morto.

E mais uma vez senti que poder de atração extraordinário e praticamente inconsciente se irradiava dele.

Encontramos Mr. Mercado no *living*. Explicava a ideia de um novo processo qualquer a Mrs. Leidner. Ela estava sentada numa tosca cadeira de pau, bordando flores em sedas finas e novamente me surpreendi com seu aspecto estranho, frágil e etéreo. Lembrava mais um personagem de certo conto de fadas do que uma criatura de carne e osso.

— Oh, *aqui* está você, Joseph — exclamou Mrs. Mercado naquela voz estridente. — Pensei que estivesse no laboratório.

De susto, ele deu um pulo, todo confuso, como se a entrada da esposa tivesse rompido um encantamento.

— Eu... eu preciso ir agora. Estou no meio de... no meio de... — gaguejou, e sem concluir a frase, virou-se para a porta.

— Veja se termina de me contar tudo outra hora — disse Mrs. Leidner com aquela voz doce, carregada de sotaque. — Estava muito interessante.

Ergueu os olhos para nós, sorrindo delicadamente, mas de maneira distante, e concentrou a atenção no bordado. Passados alguns instantes, avisou:

— Ali há alguns livros, enfermeira. A seleção até que é boa. Busque um e sente-se aqui.

Fui à estante. Mrs. Mercado demorou-se ainda um pouco e depois, subitamente, foi-se embora. Observei seu rosto ao passar por mim e não gostei do aspecto que tinha. Parecia louca de raiva.

Sem querer, lembrei certas coisas que Mrs. Kelsey dissera e insinuara a respeito de Mrs. Leidner. Não me agradava aceitá-las como verdade porque simpatizava com Mrs. Leidner, mas, ainda assim, fiquei imaginando se não teriam, talvez, algum fundamento.

Longe de mim supor que fosse exclusivamente culpa sua, no entanto era inegável que nem a bondosa, porém feia Miss Johnson, nem aquela pequena fera vulgar, Mrs. Mercado, podiam comparar-se com ela em matéria de beleza ou atração. E, afinal de contas, os homens continuam sendo os mesmos em qualquer parte do mundo. Numa profissão como a minha a gente não tarda a perceber isso.

Mercado era um pobre diabo, e não creio que Mrs. Leidner realmente fizesse o menor caso de sua admiração — o que já não sucedia com a esposa. Se eu não estava enganada, ela sentia um ciúme atroz, e não hesitaria em tirar desforra de Mrs. Leidner na primeira ocasião que se apresentasse.

Olhei para Mrs. Leidner, sentada ali a tecer suas lindas flores, tão remota, distraída e indiferente. Achei que, fosse como fosse, devia preveni-la. Talvez não soubesse como o ciúme e o ódio podem ser idiotas, insensatos e violentos — e como basta uma ninharia para pô-los em ebulição.

E então pensei: "Amy Leatheran, como você é boba. Mrs. Leidner não é nenhuma criança. No mínimo já está perto dos quarenta e decerto conhece a vida melhor do que ninguém."

Mas, não sei por quê, tive a impressão de que talvez não conhecesse.

Possuía aquele aspecto invulnerável tão estranho.

Comecei a imaginar o tipo de vida que teria levado. Sabia que casara com o dr. Leidner há apenas dois anos. E, segundo Mrs. Mercado, o primeiro marido morrera quase vinte anos antes.

Fui-me sentar perto dela com um livro e, ao cabo de algum tempo, saí para lavar as mãos para o jantar. A refeição foi ótima — à base de um caril muito bem-preparado. Todo mundo se recolheu cedo, o que me fez dar graças a Deus, pois estava exausta.

O dr. Leidner me acompanhou até o quarto para verificar se não faltava nada.

Despediu-se com um cordial aperto de mão, declarando com veemência:

— Ela gostou de você, enfermeira. Simpatizou logo. Estou contentíssimo. Creio que agora tudo correrá bem.

Seu entusiasmo era quase infantil.

Eu também achava que Mrs. Leidner havia simpatizado comigo e estava contente com isso.

Porém não compartilhava completamente da segurança dele. Parecia-me, de certo modo, que ali havia mais coisas do que ele supunha.

Havia *algo* — que eu não conseguia entender. Mas que pairava no ar.

Apesar da cama ser confortável, não dormi direito. Sonhei demais.

As palavras de um poema de Keats, que eu aprendera quando criança, me passavam sem cessar pela cabeça. Não podia lembrá-las com exatidão, o que era irritante. Sempre detestara aquele poema porque fora obrigada a decorá-lo à força. Porém, seja como for, ao acordar no escuro, percebi nele, pela primeira vez, uma espécie de beleza.

"Oh, diz o que te aflige, cavaleiro armado, solitário e", como era mesmo?, "palidamente errante..." Percebi, pela primeira vez, na imaginação, o semblante do cavaleiro

— que era o de Mr. Carey —, um rosto triste, intenso, de bronze, como o daqueles pobres rapazes que lembrava ter visto quando pequena, durante a guerra. E senti pena dele — e depois tornei a adormecer e vi que a *Belle Dame sans Merci* era Mrs. Leidner, montada de lado a cavalo, com o bordado de flores nas mãos — e aí o cavalo tropeçou e por toda a parte se espalharam ossos envoltos em cera. Acordei arrepiada tremendo da cabeça aos pés e dizendo que caril *nunca* me fizera bem à noite.

7
O homem diante da janela

Acho melhor avisar desde já que não haverá nenhuma cor local nesta história. Não conheço nada de arqueologia, nem pretendo aprender. Andar remexendo em pessoas e lugares enterrados e liquidados para sempre não tem o menor sentido para mim. Mr. Carey costumava dizer que eu não possuía temperamento de arqueólogo e não há dúvida de que tinha toda a razão.

Na primeira manhã de minha chegada, Mr. Carey perguntou se eu não queria ir ver o palácio que ele estava — *planejando*, creio que foi o que ele disse, embora eu não compreenda como é que se pode planejar uma coisa que existiu há uma porção de séculos! Bem, respondi que gostaria sim, e para confessar a verdade, estava até entusiasmada com a ideia. Parece que o tal palácio tinha quase três mil anos. Fiquei imaginando como seriam os palácios naquela época e se teriam qualquer semelhança com as fotografias que havia visto da decoração do túmulo de Tutancâmon. Embora pareça incrível, a única coisa que tinha para ver era *lama*! Muros de barro imundo, de meio metro de altura — e mais nada. Mr. Carey me levou de um lado para outro, contando coisas — como aqui ficava o grande pátio, ali alguns aposentos e um andar superior e diversos outros quartos que davam para o pátio central. E tudo o que me ocorria era: "Mas como é que ele sabe?" Só que, naturalmente, era bem-educada demais para perguntar em voz alta. Olha, vou lhes dizer, *foi* uma decepção! A escavação toda, para mim, não passava de barro — nada de mármore, ouro ou qualquer coisa bonita — a casa de minha tia em Cricklewood, como ruína, era muito mais imponente! E aqueles antigos assírios, ou seja lá o nome que tinham, intitulavam-se *reis*. Depois de me mostrar seu velho "palácio", Mr. Carey entregou-me aos cuidados do padre Lavigny, que me mostrou o resto da elevação. Eu estava com certo receio do padre Lavigny, por ser monge, estrangeiro, com aquela voz grossa e tudo o mais, mas ele foi extremamente gentil — embora um tanto vago. Às vezes sentia a impressão de que tudo aquilo não era muito mais real para ele do que para mim.

Depois Mrs. Leidner explicou. Disse que o padre Lavigny estava apenas interessado em "documentos escritos" — foram essas as suas palavras. Aquela gente escrevia tudo na argila, uns caracteres esquisitos, de aspecto pagão aliás, mas bastante compreensíveis. Havia até placas de aula — a lição do professor de um lado e os esforços do aluno no verso. Confesso que me despertaram bastante interesse — parecia uma coisa tão humana, não sei se me faço entender.

O padre Lavigny passeou pelas obras a meu lado, mostrando o local dos templos, palácios e casas residenciais, além de um ponto que disse que servira de antigo cemitério acádico. Falava de um jeito engraçado, espasmódico, limitando-se a um fiapo de informação e logo mudando de assunto.

— Que estranho a senhora ter vindo para cá — comentou. — Mrs. Leidner está, então, realmente doente?

— Doente propriamente não — respondi, por cautela.

— Ela é uma mulher esquisita — insistiu. — Uma mulher perigosa, a meu ver.

— Ora, que quer dizer com isso? — perguntei. — Perigosa? Em que sentido?

Sacudiu a cabeça, pensativo.

— Acho que é desalmada — respondeu. — Sim, acho que pode ser completamente cruel.

— Desculpe-me — protestei —, mas me parece que o senhor está falando bobagem.

Ele sacudiu a cabeça.

— Não conhece as mulheres tão bem quanto eu — afirmou.

"Que tipo de comentário curioso para um monge", pensei. Mas é claro que devia ter escutado cobras e lagartos no confessionário. Apesar de que isso me deixava meio intrigada, pois não tinha certeza se são os monges que ouvem confissões ou apenas os padres. Suponho que *fosse* um monge, com aquela longa túnica de lã — varrendo a sujeira — de rosário e tudo!

— É, ela sabe ser cruel — repetiu, pensativo. — Estou absolutamente certo disso. E no entanto... apesar de tão insensível... que nem uma pedra, que nem o mármore... no entanto, sente medo. Do que é que ela tem medo?

"Eis aí", pensei cá comigo, "o que todos nós gostaríamos de saber!"

Pelo menos era possível que o marido soubesse, porém creio que mais ninguém.

De repente me encarou com aqueles brilhantes olhos pretos.

— Notou alguma coisa de estranho aqui? Ou tudo lhe parece normal?

— Bem, normal não — respondi, depois de ponderar um pouco. — É bastante confortável do ponto de vista de organização... mas a sensação não é muito cômoda.

— Não me sinto à vontade. Tenho a impressão — subitamente seu aspecto estrangeiro se intensificou — de que se trama alguma coisa. O próprio dr. Leidner anda diferente. Há algo que também o preocupa.

— A saúde da esposa?

— Talvez. Mas não é só isso. Existe... como direi?... Uma inquietação pairando no ar.

O termo não podia ser mais adequado. Sim: uma inquietação.

A conversa parou por aí mesmo, devido à aproximação do dr. Leidner. Queria mostrar-me uma sepultura de criança recém-descoberta. Foi meio patético — os ossinhos — um que outro vaso e umas pequenas nódoas que o dr. Leidner explicou que eram um colar de contas.

Os operários é que me fizeram rir. Nunca se viu um tal bando de espantalhos — todos de saias compridas, esfarrapadas, com a cabeça amarrada como se tivessem dor de dente. E a cada instante, à medida que andavam de um lado para outro carregando cestas de terra, punham-se a cantar — ao menos suponho que fosse isso que pensavam estar fazendo — uma espécie de cântico esquisito e monótono que quando a gente pensava que tinha terminado, recomeçava tudo de novo. Reparei que a maioria estava com os olhos em petição de miséria — cheios de pus, e alguns já quase cegos. Estava mesmo refletindo na vida desgraçada que levavam quando ouvi o dr. Leidner comentar:

— Formam um grupo esplêndido de homens, não acha?

Então pensei como o mundo era estranho e como duas pessoas diferentes podem ver a mesma coisa de uma forma diametralmente oposta. Creio que não me expressei bem, mas acho que dá para entender o que eu quero dizer.

Pouco depois, o dr. Leidner anunciou que ia até em casa para tomar sua xícara de chá do meio da manhã. Então voltamos juntos e ele foi explicando coisas. Quando era *ele* quem explicava, tudo ganhava um aspecto completamente diverso. Eu praticamente *enxergava* o que ele descrevia — como havia sido outrora — as ruas e as casas, e me mostrou os fornos em que faziam pães, dizendo que os árabes continuavam usando o mesmo tipo atualmente.

Chegamos a casa e encontramos Mrs. Leidner já acordada. Estava com melhor aparência, menos magra e fatigada. O chá foi servido sem demora e o dr. Leidner contou-lhe o que havia sucedido nas escavações durante aquela manhã. Depois regressou ao trabalho e Mrs. Leidner perguntou se eu não queria ver alguns dos achados feitos até então. Respondi naturalmente que sim, e ela me levou ao depósito de antiguidades. Havia uma porção de coisas espalhadas pelos cantos — a maior parte dando a impressão de serem vasos quebrados — ou então outros, já restaurados e colados. Tudo aquilo, a meu ver, podia ser jogado no lixo.

— Puxa — comentei —, que lástima que estejam todos quebrados, não é? Vale realmente a pena guardá-los?

Mrs. Leidner sorriu de leve.

— Não deixe Eric ouvir o que você disse — aconselhou. — Os vasos são tudo o que lhe interessa, e alguns destes aqui são antiquíssimos... talvez tenham mais de sete mil anos.

E explicou como certos exemplares provinham de um corte profundíssimo na elevação, bem perto do fundo e como, há dezenas de séculos, tinham sido quebrados e consertados com betume, provando que as pessoas naquela época prezavam tanto suas coisas quanto hoje em dia.

— E agora — acrescentou —, vou-lhe mostrar algo mais emocionante.

Retirou uma caixa da prateleira. Continha uma bela adaga de ouro com cabo de pedras azul-marinho.

Soltei uma exclamação de deslumbramento.

Mrs. Leidner achou graça.

— É, todo mundo gosta de ouro! Menos o meu marido.

— Por que o dr. Leidner não gosta?

— Bem, em primeiro lugar porque custa caro. Tem de se pagar, aos operários que o encontram, o peso do objeto em ouro.

— Nossa! — exclamei. — Mas por quê?

— Ah, é o costume. Por outro lado, impede que roubem. Compreende? Se de fato roubassem, não seria pelo valor arqueológico, mas pelo valor intrínseco. Mandariam derretê-lo. Assim, facilitamos a honestidade deles.

Desceu outra bandeja e me mostrou uma taça de ouro, para bebida, realmente linda, que tinha um desenho de cabeças de carneiro.

Soltei outra exclamação.

— Sim, é bonita, não é? Veio do túmulo de um príncipe. Encontramos diversas sepulturas reais, mas a maioria havia sido saqueada. Esta taça foi o nosso maior achado. É uma das mais artísticas já descobertas em todo o mundo. Acádico primitivo. Incomparável.

Súbito, de cenho franzido, Mrs. Leidner aproximou a taça dos olhos e arranhou-a delicadamente com a unha.

— Que surpreendente! É cera mesmo. Alguém deve ter andado por aqui com uma vela.

Arrancou a pequena lasca e repôs a taça no lugar.

Depois mostrou umas figurinhas em terracota que só vendo mesmo — na maioria, verdadeiras obscenidades. Que mentalidade sórdida tinham esses povos antigos, francamente.

Quando voltamos à varanda, encontramos Mrs. Mercado pintando as unhas. Estendia as mãos para frente, admirando o efeito. Pensei comigo mesma que seria difícil imaginar qualquer coisa mais horrorosa do que aquele tom vermelho-laranja.

Mrs. Leidner trouxera do depósito de antiguidades um pratinho muito delicado, partido em vários pedaços, e agora procurava reconstituí-lo. Observei-a certo tempo e terminei me oferecendo para ajudá-la.

— Ótimo, lá dentro há uma porção.

Foi buscar uma boa quantidade de cerâmicas quebradas e pusemos mãos à obra. Peguei logo prática e recebi elogios pela minha habilidade. Suponho que a maior parte das enfermeiras possui dedos destros.

— Como todo mundo trabalha — comentou Mrs. Mercado. — Fico me sentindo uma perfeita inútil. E é claro que *sou*.

— Por que não havia de ser, se lhe agrada? — retrucou Mrs. Leidner, num tom de absoluto descaso.

Ao meio-dia almoçamos. Mais tarde o dr. Leidner e Mr. Mercado limparam algumas cerâmicas, derramando por cima uma solução de ácido clorídrico. Um vaso ficou com uma cor linda de ameixa e outro revelou um desenho com chifres de touros. Era realmente qualquer coisa de mágico. Toda aquela lama ressequida, que lavando não se conseguia tirar, virava, por assim dizer, espuma e se evaporava.

Mr. Carey e Mr. Coleman foram para as escavações e Mr. Reiter se dirigiu ao departamento de fotografias.

— O que é que você vai ficar fazendo, Louise? — perguntou o dr. Leidner. — Por que não descansa um pouco?

Deduzi que Mrs. Leidner costumava fazer a sesta todas as tardes.

—Vou descansar uma hora, mais ou menos. Depois talvez saia para dar um passeio.

— Ótimo. A enfermeira irá junto, não é?

— Evidente — respondi eu.

— Não, não — protestou Mrs. Leidner. — Gosto de andar sozinha. A enfermeira não deve sentir-se obrigada a me acompanhar por toda parte.

— Oh, mas eu gostaria de ir — insisti.

— Não, realmente, prefiro que fique — mostrou-se firme, quase peremptória. — Preciso ficar só de vez em quando. É-me necessário.

Não continuei insistindo, lógico. Mas ao me recolher também para dormir um pouco, achei estranho que Mrs. Leidner, com seus terrores nervosos, fizesse tanta questão de passear desacompanhada, sem qualquer proteção.

Ao deixar meu quarto, às três e meia, encontrei o pátio deserto, com exceção de um garoto que lavava cerâmicas numa grande banheira de cobre e Mr. Emmott, que separava as peças, classificando-as. Pretendia aproximar-me deles quando Mrs. Leidner surgiu à entrada da passagem em arco. Parecia mais animada do que nunca. Seus olhos brilhavam e dir-se-ia que estivesse inspirada, quase alegre.

O dr. Leidner saiu do laboratório e foi ao seu encontro. Mostrava-lhe um prato enorme, decorado com chifres de touros.

— As camadas pré-históricas estão sendo extraordinariamente férteis — disse ele. — Por enquanto a temporada tem sido boa. Descobrir aquele túmulo logo no início foi um autêntico golpe de sorte. A única pessoa que pode ter queixas é o padre Lavigny. Até agora se encontraram pouquíssimas placas.

— E parece que mesmo essas não progrediram muito — comentou Mrs. Leidner com ironia. — Talvez ele seja ótimo para decifrar epígrafes, mas em matéria de preguiça não tem igual. Passa as tardes inteiras dormindo.

— Byrd está fazendo falta — disse o dr. Leidner. — Esse homem me dá impressão de ser meio heterodoxo... embora eu, naturalmente, não tenha competência para julgar. Porém, uma ou outra das traduções que fez me pareceram surpreendentes, para dizer o mínimo. Mal posso acreditar, por exemplo, que ele esteja certo sobre a inscrição daquele bloco de pedra, e no entanto deve ter razão.

Depois do chá, Mrs. Leidner me convidou para um passeio à beira-rio. Julguei que talvez receasse que sua recusa em me deixar acompanhá-la no começo da tarde me houvesse magoado.

Aceitei prontamente, pois queria mostrar-lhe que não era dada a suscetibilidades.

Fazia uma tarde esplêndida. Passamos por uma senda entre os campos de cevada e, mais tarde, sob árvores frutíferas carregadas de flores. Finalmente saímos às margens do Tigre. Logo à nossa esquerda ficavam as escavações, com os operários entoando aquele incrível cântico monótono. Um pouco à direita havia uma grande roda hidráulica rangendo de modo infernal. A princípio buliu com meus nervos. Mas no fim cheguei até a gostar, produzindo um estranho efeito balsâmico em mim. Do outro lado da roda, via-se a aldeia de onde provinha a maioria dos operários.

— Não acha bonito? — perguntou Mrs. Leidner.

— É muito calmo — concordei. — Parece-me tão engraçado estar aqui, longe de tudo.

— Longe de tudo — repetiu. — Sim. Aqui, pelo menos, a gente pode sentir uma certa segurança, talvez.

Olhei bruscamente para ela mas acho que falava mais para si mesma do que comigo, e não creio que tivesse percebido como aquelas palavras haviam sido reveladoras.

Refizemos o caminho de casa.

De repente Mrs. Leidner apertou o meu braço com tanta força que quase dei um berro.

— Quem é aquele lá, enfermeira? O que é que ele está fazendo?

A pouca distância à nossa frente, no ponto exato em que a senda se aproximava da casa da expedição, estava parado um homem. Trajava roupas ocidentais e dava impressão de estar na ponta dos pés, tentando espiar por uma das janelas.

Enquanto observávamos, ele se virou, notou que estávamos olhando, e no mesmo instante começou a caminhar pela senda, em nossa direção. Senti Mrs. Leidner apertar com mais força ainda.

— Enfermeira — murmurou. — Enfermeira...

— Não é nada, meu bem, não é nada — afirmei para tranquilizá-la.

O homem passou por nós e seguiu adiante. Era iraquiano, e assim que o enxergou de perto, Mrs. Leidner soltou o braço com um suspiro.

— É apenas um iraquiano, afinal — disse ela.

Prosseguimos adiante. Quando passamos pelas janelas, levantei os olhos. Não só tinham grades como eram muito altas para permitir que alguém enxergasse o interior, uma vez que o nível do solo ali ficava mais baixo que o do pátio interno.

— Deve ter sido mera curiosidade — opinei.

Mrs. Leidner acenou com a cabeça.

— Decerto. Mas por um instante eu pensei...

Interrompeu a frase.

Pensou o *quê*? — disse comigo mesma. — Isso é o que eu queria saber. O *que* foi que você pensou?

De uma coisa, porém, eu agora tinha certeza — Mrs. Leidner sentia medo de uma determinada pessoa de carne e osso.

8
Alarme noturno

É meio difícil saber exatamente o que anotar na semana subsequente à minha chegada a Tell Yarimjah.

Recapitulando os acontecimentos segundo minha perspectiva de conhecimento atual, percebo uma série de pequenos sinais e indicações que comprovam o quanto estive cega na época.

No entanto, para contar a história como convém, creio que devo procurar reconstituir o ponto de vista que eu de fato tinha — confuso, apreensivo, e cada vez mais consciente de *algo* errado.

Pois uma coisa *era* certa: aquela sensação esquisita de tensão e constrangimento *não* era imaginária. Era real. O próprio Bill Coleman, o insensível, comentou.

— Este lugar já está me irritando — escutei-o dizer. — Esse pessoal é sempre assim tão mal-humorado?

Foi para David Emmott, o outro assistente, que ele falou. Eu gostava bastante de Mr. Emmott; tinha certeza de que seu jeito taciturno não era nada hostil. Havia qualquer coisa nele que parecia muito resoluta e tranquilizadora no meio de uma atmosfera em que a gente ficava insegura sobre o que todos andavam sentindo ou pensando.

— Não — respondeu a Mr. Coleman. — No ano passado não foi assim.

Porém não se mostrou mais explícito, nem disse mais nada.

— Não posso compreender o que está havendo — continuou Mr. Coleman, num tom magoado.

Emmott encolheu os ombros, sem retrucar.

Tive uma conversa bastante instrutiva com Miss Johnson. Simpatizava muitíssimo com ela. Era competente, prática e inteligente. Não havia a menor dúvida de que simplesmente idolatrava o dr. Leidner.

Na ocasião a que me refiro, ela me contou a história da vida dele desde a mocidade. Conhecia cada lugar que ele tinha cavado, bem como o resultado das escavações. Eu seria capaz de jurar que ela sabia de cor todas as conferências que ele já pronunciara. Disse-me que o considerava o maior arqueólogo vivo em sua especialidade.

— E é tão modesto. Um verdadeiro altruísta. Não sabe o significado da palavra "vaidade". Só um homem verdadeiramente grande pode ser tão simples assim.

— Isso é bem verdade — concordei. — Gente de valor não precisa fazer espalhafato.

— E é também tão despreocupado. Não imagina como nós nos divertíamos... ele, Richard Carey e eu... nos primeiros anos que estivemos aqui. Éramos um grupo tão unido. Richard Carey trabalhava com ele na Palestina, claro. São amigos há mais ou menos dez anos. Eu, bem, conheço-o há sete.

— Que homem bonito Mr. Carey é — comentei.

— É... acho que sim.

Disse isso de um jeito meio lacônico.

— Mas um pouco caladão, não lhe parece?

— Antes não era assim — respondeu Miss Johnson prontamente. — Foi só depois que...

Calou-se abruptamente.

— Depois que... — insisti.

— Ora — Miss Johnson sacudiu os ombros num gesto característico. — Agora muita coisa mudou.

Não repliquei. Esperava que ela fosse continuar — o que fez — precedendo suas observações com uma risadinha que se diria destinada a lhes diminuir a importância.

— Acho que sou uma velha carcaça conservadora. Às vezes tenho a impressão de que se a mulher de um arqueólogo não está realmente interessada, não devia acompanhar uma expedição. Em geral provoca atritos.

— Mrs. Mercado? — insinuei.

— Oh, ela! — Miss Johnson eliminou a sugestão. — Estava me referindo a Mrs. Leidner. É uma mulher de fato encantadora... compreende-se perfeitamente por que o dr. Leidner *caiu por ela...* para usar um termo de gíria. Sou forçada a reconhecer que está deslocada aqui. Ela... transtorna tudo.

Portanto Miss Johnson concordava com Mrs. Kelsey que Mrs. Leidner era a responsável pela atmosfera de tensão. Mas então como se explicavam suas angústias nervosas?

— Ela transtorna o *marido* — frisou Miss Johnson com ardor. — Claro que eu sou... bem, igual a um velho cão fiel, mas ciumento. Não gosto de vê-lo tão exausto e preocupado. Devia concentrar-se exclusivamente no trabalho... em vez de andar às voltas com os medos ridículos da esposa! Se ela fica nervosa ao viajar para regiões remotas, faria melhor em permanecer na América. Não tenho paciência com gente que vai para um lugar e depois passa o tempo todo se queixando.

Aí, receando talvez que houvesse falado mais do que devia, explicou:

— Admiro-a muitíssimo, lógico. É uma criatura linda e, quando quer, sabe ser encantadora.

E assim encerrou-se o assunto.

Era a velha história de sempre — toda vez que as mulheres se veem forçadas a um convívio prolongado, é fatal que se manifestem ciúmes. Miss Johnson, evidentemente, não gostava da esposa de seu chefe (o que talvez fosse natural) e, a menos que eu estivesse enganada, Mrs. Mercado positivamente odiava-a.

Outra pessoa que não simpatizava com Mrs. Leidner era Sheila Reilly. Apareceu três vezes nas escavações, a primeira de carro e duas a cavalo junto com um rapaz — quero dizer, em dois cavalos, claro. Eu continuava achando que ela tinha um fraco por Emmott, o jovem americano caladão. Quando o encontrava trabalhando na elevação, demorava-se em palestra com ele e também achei que *ele* gostava *dela*.

Um dia, de modo bastante leviano a meu ver, Mrs. Leidner comentou o fato na hora do almoço.

— Aquela tal de Reilly não dá trégua ao David — disse, com uma risadinha. — Pobre David, ela persegue você até nas escavações! Como essas moças são tolas!

Mr. Emmott não retrucou, mas seu rosto, apesar de bronzeado, ficou meio vermelho. Levantou os olhos e encarou Mrs. Leidner com uma expressão esquisita — um olhar direto, firme, que continha uma espécie de desafio.

Ela sorriu discretamente e virou o rosto para o outro lado.

Ouvi o padre Lavigny murmurar qualquer coisa, porém quando lhe perguntei o que tinha dito, limitou-se a sacudir a cabeça, sem repetir o comentário.

Na mesma tarde, Mr. Coleman me confessou:

— Para falar com franqueza, a princípio não gostei nem um pouco de Mrs. Leidner. Toda vez que eu abria a boca, ela caía em cima de mim. Mas agora comecei a compreendê-la melhor. É uma das mulheres mais bondosas que já conheci. Quando se vê, a gente está-lhe contando tudo quanto é enrascada em que se meteu até hoje. Ela anda de implicância com Sheila Reilly, eu sei, mas é que Sheila foi tremendamente grosseira em várias ocasiões. É o que Sheila tem de pior... não possui a mínima educação. É um temperamento de fogo!

Quanto a isso eu acreditava piamente. O dr. Reilly a estragara com mimos.

— Claro que tinha de ficar um tanto convencida, sendo a única moça nos arredores. Mas não é desculpa para tratar Mrs. Leidner como se fosse sua tia-avó. Mrs. Leidner não é propriamente criança mas é uma mulher bonita como o diabo. Até parece uma daquelas fadas que surgem no meio de clarões nos pântanos e arrastam a gente atrás delas. — Acrescentou, mordaz: — Sheila não seria capaz de arrastar ninguém. Só quer bronquear com o camarada.

Lembro apenas dois outros incidentes de certa importância.

O primeiro ocorreu quando fui buscar um pouco de acetona no laboratório para os meus dedos, viscosos de tanto consertar cerâmicas. Encontrei Mr. Mercado num canto, sentado com a cabeça entre os braços, e supus que estivesse adormecido. Apanhei a garrafa que queria e dei o fora.

Naquela noite, para minha completa surpresa, Mrs. Mercado me abordou.

—Você não tirou uma garrafa de acetona do laboratório?

— Tirei, sim — respondi.

—Você sabe perfeitamente que sempre há uma garrafinha guardada no depósito de antiguidades.

Falava num tom de verdadeira fúria.

— Ah, é? Não sabia, não.

— Sabia, sim! Você estava querendo apenas bisbilhotar. Pensa que não conheço as enfermeiras de hospital?

Fiquei olhando para ela.

— Não tenho a menor ideia do que a senhora pretende insinuar, Mrs. Mercado — retruquei, com toda a dignidade. — Tenho certeza de que não ando espionando ninguém.

— Oh, não! Claro que não. Pensa que não sei o que você veio fazer aqui?

Francamente, por alguns instantes cheguei a imaginar que ela estivesse bêbada. Afastei-me sem dizer mais nada. Mas achei tudo muito estranho.

O outro incidente foi quase insignificante. Eu estava tentando atrair um filhotinho de cachorro com um pedaço de pão. Mas ele era muito arisco, como todos os cães árabes — e parecia convencido de que minhas intenções não eram nada boas. Escapuliu — e eu fui atrás — passando pelo arco de entrada até chegar ao canto da casa. Fiz a volta com tamanha rapidez que, antes que percebesse, esbarrei no padre Lavigny e outro homem, parados lado a lado — e no mesmo instante notei que era o tal sujeito que Mrs. Leidner e eu havíamos encontrado naquele dia, espionando pela janela.

Pedi desculpas e o padre Lavigny sorriu. Depois de despedir-se do iraquiano, voltou para casa comigo.

Morte na Mesopotâmia

— Sabe — disse ele —, estou muito envergonhado. Sou um estudioso das línguas orientais e nenhum dos operários consegue entender o que eu falo! É humilhante, não acha? Estava praticando meu árabe com aquele camarada, que é uma pessoa que mora na cidade, para ver se tinha feito algum progresso... mas não tive muito êxito. Leidner diz que o meu árabe é puro demais.

Foi apenas isso. Ocorreu-me, porém, que era estranho que o mesmo indivíduo continuasse rondando a casa.

Naquela noite levamos um susto.

Deviam ser quase duas da madrugada. Tenho o sono leve, requisito praticamente obrigatório para uma enfermeira. Acordei e sentei na cama na hora em que a porta se abriu.

— Enfermeira, enfermeira!

Era a voz de Mrs. Leidner, baixa e premente.

Risquei um fósforo e acendi a vela.

Ela estava parada na porta, com um roupão azul. Parecia petrificada de terror.

— Tem alguém... alguém... no quarto pegado ao meu. Eu ouvi... quando arranharam a parede.

Saltei da cama e me aproximei dela.

— Não foi nada — disse. — Eu estou aqui. Não precisa ter medo, meu bem.

— Chame o Eric — cochichou.

Assenti, saindo às pressas e batendo na porta dele. Num instante veio ter conosco. Mrs. Leidner estava sentada em minha cama, com dificuldade para respirar normalmente.

— Eu ouvi — repetiu. — Eu ouvi... um arranhão na parede.

— Alguém no depósito de antiguidades? — exclamou o dr. Leidner.

Saiu logo correndo — e então percebi, num relâmpago, como ambos haviam reagido de modo diferente. O medo de Mrs. Leidner era puramente pessoal, ao passo que o do marido se concentrava nos valiosos tesouros.

— O depósito de antiguidades! — repetiu Mrs. Leidner. — Lógico! Que burrice minha.

E pondo-se em pé e arrumando o roupão, pediu-me para acompanhá-la. Todos os vestígios de medo-pânico haviam desaparecido.

Ao chegar no depósito de antiguidades, encontramos o dr. Leidner e o padre Lavigny. O último também escutara um ruído, levantando-se a fim de investigar, e acreditava ter visto uma luz no depósito. Demorara em calçar os chinelos, procurar uma lanterna e quando finalmente chegou não viu ninguém. A porta, além do mais, estava devidamente trancada, como sempre acontecia à noite.

Enquanto verificava se não faltava nada, surgira o dr. Leidner.

Foi só o que se descobriu. A passagem de entrada, pelo arco, estava trancada. Os guardas juraram que ninguém podia ter penetrado na casa pelo lado de fora, mas como provavelmente tivessem ferrado logo no sono, isso não provava coisa nenhuma. Não havia indício nem rastro de intrusos e nada fora roubado.

Era possível que o que alarmara Mrs. Leidner fosse o barulho provocado pelo padre Lavigny ao tirar as caixas das prateleiras para verificar se tudo estava em ordem.

Em compensação o monge tinha certeza de que: a) escutara alguém passando pela sua janela; b) vira uma luz bruxuleante, talvez de uma lanterna, no depósito de antiguidades.

Ninguém mais escutou ou viu coisa alguma.

O incidente é precioso para a minha narrativa porque precipitou o desabafo que Mrs. Leidner teve comigo no dia seguinte.

9
A história de Mrs. Leidner

Tínhamos acabado de almoçar. Mrs. Leidner foi para seu quarto, como de costume, para descansar. Instalei-a na

Morte na Mesopotâmia

cama com uma pilha de travesseiros, entreguei-lhe o livro e já ia saindo quando ela me chamou de volta.

— Não vá, enfermeira. Tenho uma coisa para lhe dizer.

Tornei a entrar no quarto.

— Feche a porta.

Obedeci.

Ela se levantou e começou a andar de um lado para outro. Percebi que estava prestes a decidir qualquer coisa e não quis interrompê-la. Era óbvio que enfrentava uma grande indecisão no espírito.

Por fim pareceu reunir o ânimo necessário. Virou-se para mim e pediu, abruptamente:

— Sente-se.

Sentei bem quieta ao lado da mesa.

Ela começou, nervosa:

— Você deve estar intrigada com o que eu lhe quero falar, não?

Apenas acenei com a cabeça, sem dizer nada.

— Resolvi contar-lhe tudo! Tenho de contar para alguém, senão enlouqueço.

— Olhe — retruquei. — Eu acho até que seria bom. Não é fácil saber como agir quando se guarda segredo.

Parou de caminhar inquieta e me encarou.

— Sabe do que eu tenho medo?

— De um homem — respondi.

— Sim... mas não perguntei de quem... eu disse do quê.

Esperei.

— *Tenho medo de ser assassinada!* — exclamou.

Pronto, agora tudo se esclarecia. Eu é que não ia demonstrar nenhuma solicitude especial. Já bastava o estado quase histérico em que se achava.

— Meu Deus! — exclamei. — Então é isso, é?

Aí ela se pôs a rir. Riu até não poder mais — e as lágrimas lhe escorriam pelo rosto.

— O jeito com que você disse isso! — repetia, ofegante. — O jeito com que você disse isso...

— Ora, por favor — insisti. — Acalme-se.

Falei com energia. Empurrei-a até uma cadeira, me dirigi ao lavatório, apanhei uma esponja úmida e molhei-lhe a testa e os pulsos.

— Chega de tolice — ordenei. — Agora conte tudo com calma e juízo.

Foi o suficiente. Sentou-se direito e falou em voz normal.

— Você é uma joia, enfermeira. Deixou-me com a sensação de que tinha seis anos. Vou contar-lhe.

— Isso mesmo. Não se afobe que há tempo de sobra.

Começou a falar, lenta e ponderadamente.

— Quando eu tinha vinte anos casei com um rapaz que trabalhava num de nossos departamentos públicos. Foi em 1918.

— Eu sei. Mrs. Mercado me disse. Ele morreu na guerra.

Mrs. Leidner, porém, sacudiu a cabeça.

— É o que ela pensa. É o que todo mundo pensa. A verdade é bem diferente. Eu era toda patriota, entusiasta, enfermeira, cheia de idealismo. Depois de alguns meses de casada, descobri por uma circunstância completamente imprevista... que meu marido fazia espionagem pros alemães. Soube que as informações que fornecera tinham sido a causa direta do afundamento de um transporte americano, com a perda de centenas de vidas. Ignoro como teria procedido a maioria das pessoas, mas vou contar-lhe o que fiz. Procurei imediatamente meu pai, que era membro do Ministério da Guerra, e confessei-lhe a verdade. Frederick *foi* morto na guerra... porém na América... fuzilado como espião.

— Oh, meu Deus! Que horror!

— Sim. Foi horrível. Ele era tão bom, aliás... tão delicado. E durante todo o tempo... Mas nem hesitei. Talvez estivesse errada.

— É difícil julgar. Tenho certeza de que não sei o que outra pessoa faria em seu lugar.

— O que lhe estou contando nunca transpirou do âmbito dos departamentos públicos. Oficialmente, meu marido partira para frente de batalha e morrera. Como viúva de guerra, recebi muitas provas de solidariedade e atenções.

Havia amargura em sua voz, e eu assenti, compreensiva.

— Recebi várias propostas de casamento, mas sempre as recusei. O choque que sofrera tinha sido grande demais. Achei que jamais poderia *confiar* novamente em alguém.

— Sim, imagino como não deve ter-se sentido.

— E depois me apaixonei por um certo rapaz. Eu titubeava. Uma coisa incrível então acontece! Recebi uma carta anônima... de Frederick... dizendo que, se algum dia eu casasse com outro homem, ele me mataria!

— De Frederick? De seu falecido esposo?

— É. A princípio, naturalmente, julguei que estava louca ou sonhando. Afinal falei com meu pai. Ele me revelou a verdade. Meu marido, em suma, não tinha sido fuzilado. Fugira... embora a fuga não lhe adiantasse de nada. Poucas semanas mais tarde morria num desastre de trem. Encontraram o corpo entre as vítimas. Meu pai fizera tudo para que eu não soubesse da fuga, e uma vez que o homem, de todos os modos, acabara morrendo mesmo, não vira motivo para me contar qualquer coisa até então. Mas a carta recebida por mim abria possibilidades inteiramente novas. Quem sabe meu marido não continuava vivo? Meu pai investigou o assunto com o máximo cuidado e terminou declarando que, tanto quanto era humanamente possível ter certeza, o cadáver que fora enterrado como sendo de Frederick era de fato o dele. Tinha ficado um pouco desfigurado, por isso não se podia garantir com absoluta e irrefutável convicção, porém reiterava a crença solene de que Frederick estava morto e que a tal carta não passava de um trote cruel e malévolo. A mesma coisa tornou a suceder várias vezes. Quando eu aparentemente andava me relacionando com algum homem, recebia uma carta ameaçadora.

— Com a caligrafia de seu marido?

— Isso é difícil de afirmar — respondeu lentamente. — Eu não tinha cartas dele. Precisava guiar-me pela memória.

— Nunca houve alguma alusão ou palavras especiais que fossem usadas e que pudessem dar-lhe uma certeza?

— Não. *Havia* determinadas expressões íntimas... apelidos, por exemplo... entre nós... se uma delas tivesse sido usada ou citada, então eu estaria absolutamente certa.

— Sim — concordei pensativa. — É curioso. Dá impressão de que *não era* seu marido. Mas quem mais poderia ser?

— Existe uma possibilidade. Frederick tinha um irmão menor... um menino de dez ou 12 anos na época do nosso casamento. Idolatrava Frederick, que gostava muito dele. Não sei o que aconteceu com esse garoto. Chamava-se William. Acho provável que, adorando o irmão como adorava, tivesse crescido me considerando diretamente responsável pela sua morte. Sempre sentiu ciúmes de mim e talvez inventasse esse plano como forma de castigo.

— É possível — admiti. — As crianças guardam uma lembrança assombrosa dos choques que levam.

— Eu sei. Esse menino podia ter dedicado sua vida à vingança.

— Continue, por favor.

— Não há muito mais para dizer. Conheci Eric há três anos. Não pretendia casar nunca mais. Eric me fez mudar de ideia. Fiquei esperando outra carta ameaçadora até o dia do nosso casamento. Não chegou nenhuma. Fosse lá quem fosse o remetente, pensei eu, devia ter morrido ou então se cansara daquela cruel diversão. *Dois dias depois do casamento, recebi isto.*

Puxando uma pequena maleta de cima da mesa, abriu-a com a chave, tirou uma carta e me entregou.

A tinta estava levemente desbotada. Vinha escrita numa letra meio feminina, inclinada para a direita.

Você desobedeceu. Agora não pode escapar. Só deve ser esposa de Frederick Bosner! Você terá de morrer.

— Fiquei assustada... mas não tanto quanto das outras vezes. Estar ao lado de Eric me deixava segura. Depois, um mês mais tarde, recebi uma segunda ameaça.

Não esqueci. Estou fazendo meus planos. Você terá de morrer. Por que desobedeceu?

— Seu marido sabe disso?

— Ele sabe que fui ameaçada — respondeu Mrs. Leidner vagarosamente. — Mostrei-lhe ambas as cartas quando recebi a segunda. Sentia-se inclinado a crer que tudo não passava de brincadeira de mau gosto. Pensou, também, que podia ser alguém que quisesse fazer chantagem, fingindo que meu marido estivesse vivo.

Parou um instante e depois prosseguiu.

— Poucos dias depois da chegada da segunda carta, escapamos por um triz de morrer asfixiados. Alguém entrou em nosso apartamento enquanto dormíamos e abriu o gás. Felizmente eu acordei e senti o cheiro a tempo. Então perdi a cabeça. Contei a Eric como vinha sendo perseguida há anos e disse-lhe que tinha certeza de que esse débil mental, fosse lá quem fosse, tencionava de fato me matar. Creio que pela primeira vez realmente acreditei que *era* Frederick. Sempre dissimulara qualquer coisa de desumano por trás de sua delicadeza. Tenho a impressão de que Eric ficou menos alarmado do que eu. Ele queria dar parte à polícia. Naturalmente nem quis ouvir falar nisso. No fim concordamos que eu viria para cá, junto com ele, e que seria mais acertado que eu não voltasse para a América no verão, que passaria em Londres e Paris. Levamos nosso plano a cabo e tudo correu bem. Eu estava certa de que agora tudo ficaria em ordem. Afinal de contas, tínhamos posto metade do globo terrestre entre nós e o meu inimigo. Foi então... há pouco mais de três semanas... que recebi uma carta... com selo do Iraque.

Entregou-me uma terceira carta.

Pensou que podia fugir? Engana-se. Sendo falsa comigo, você não ficará viva. Eu sempre lhe disse isso. A morte se aproxima.

— E há uma semana... *isto!* Aqui no quarto, em cima da mesa. Nem sequer remetida pelo correio.

Apanhei a folha de papel que me estendia. Continha apenas uma palavra rabiscada a lápis.

Cheguei.

Ela me olhou fixamente.

— Está vendo? Compreendeu? Ele vai me matar. Talvez seja Frederick.... ou o pequeno William... *mas ele vai me matar.*

Levantara a voz, em sobressalto. Segurei-a pelos pulsos.

— Ora... vamos — admoestei. — Não se entregue. Cuidaremos da senhora. Não tem aí um pouco de sal amoníaco?

Ela acenou na direção do lavatório e eu lhe apliquei uma boa dose.

— Pronto, melhorou — comentei, enquanto suas faces recobravam a cor.

— Sim, agora já me sinto melhor. Mas, oh, enfermeira, compreende por que estou neste estado? Quando vi aquele sujeito espiando pela minha janela, pensei: *É ele!* Até de *você*, quando chegou, fiquei desconfiada. Julguei que talvez fosse um homem disfarçado...

— Que ideia!

— Oh, eu sei que parece absurdo. Porém podia talvez estar de combinação com ele... e não ser enfermeira de hospital coisa nenhuma.

— Mas que loucura!

— Sim, talvez. Só que loucuras não mais me intimidam. Ocorreu-me uma ideia súbita.

— A senhora *reconheceria* seu marido, suponho? — perguntei.

— Não garanto. Já faz mais de 15 anos. Pode ser que não lhe reconhecesse a fisionomia.

Morte na Mesopotâmia 69

E teve um frêmito.

— Uma noite enxerguei-a... porém estava *morta*. Ouvi um toque-toque na janela. E depois vi um rosto, o rosto de um morto, horrendo e sorrindo atrás da vidraça. Comecei a gritar sem parar. E eles disseram que não havia ninguém lá fora!

Lembrei-me da história de Mrs. Mercado.

— A senhora não acha — perguntei, hesitante —, que talvez houvesse *sonhado*?

— Tenho certeza de que não!

Eu não estava tão segura assim. Era o tipo do pesadelo bastante plausível naquelas circunstâncias e que facilmente podia ser confundido com uma ocorrência real. Em todo caso, jamais contradigo um paciente. Acalmei Mrs. Leidner da melhor maneira possível, frisando que se algum estranho surgisse nas cercanias, sem dúvida ficaríamos sabendo.

Deixei-a, a meu ver, mais tranquila e saí à procura do dr. Leidner. Contei-lhe a conversa que tivéramos.

— Ainda bem que ela lhe falou — foi seu simples comentário. — Já andava tremendamente preocupado. Eu estava certo de que todos os tais rostos e batidas na vidraça tinham sido pura imaginação da parte dela. Não sabia mais o que fazer. Qual é a sua opinião sobre tudo isso?

Não entendi muito bem o tom de sua voz, porém respondi com suficiente presteza.

— É possível que as tais cartas não passem de brincadeira de muito mau gosto — declarei.

— Sim, é bem provável. Mas que havemos de *fazer*? Estão deixando Louise quase louca. Já não sei o que pensar.

Nem eu, tampouco. Ocorreu-me a hipótese de que podia haver alguma mulher metida no meio. As cartas tinham um toque feminino. Estava cogitando, um tanto inconscientemente, de Mrs. Mercado.

Suponhamos que, por acaso, se cientificasse dos fatos a respeito do primeiro matrimônio de Mrs. Leidner. Talvez satisfizesse o próprio rancor aterrorizando a outra mulher.

Não me agradava muito sugerir essa hipótese ao dr. Leidner. É sempre difícil prever como as pessoas encaram certos problemas.

— Ora, paciência — retruquei com ar animado —, a gente deve ser otimista. Acho que, só de falar no assunto, Mrs. Leidner já se sente sossegada. Sempre ajuda, sabe? Recalcar é que excita os nervos.

— Estou contentíssimo que ela lhe tenha contado tudo — repetiu. — É bom sinal. Mostra que gosta e se fia da senhora. Quase quebrei a cabeça de tanto procurar a melhor solução pro caso.

Estava com uma pergunta na ponta da língua para lhe fazer: por que não fizera uma discreta insinuação à polícia local? Mais tarde, porém, dei graças a Deus por ter ficado calada.

O que aconteceu foi o seguinte: No outro dia Mr. Coleman partiu para Hassanieh para buscar o pagamento dos operários. Levava também toda a nossa correspondência para despachar por via aérea.

As cartas, depois de subscritas, eram depositadas numa caixa de madeira no peitoril da janela da sala de refeições. A última coisa que Mr. Coleman fez naquela noite foi retirá-las da caixa, separando-as em maços e prendendo-os com elásticos.

De repente soltou um grito.

— Que é? — perguntei.

Estendeu-me um envelope sorrindo.

— A nossa Linda Louise... ela está ficando *realmente* biruta. Endereçou uma carta para alguém na rua 42, Paris, França. Creio que não está certo, não acha? Quer fazer-me o favor de ir perguntar-lhe o que *significa* isso? Ela acaba de se recolher.

Peguei o envelope e corri à procura de Mrs. Leidner. Ela corrigiu o endereço.

Era a primeira vez que eu via sua caligrafia e fiquei pensando, distraída, onde é que já tinha visto aquela letra antes, pois me era, sem dúvida, bastante familiar. Foi só lá pelo meio da noite que de repente lembrei. Exceto por ser

Morte na Mesopotâmia 71

maior e mais irregular, *parecia-se extraordinariamente com a que estava escrita nas cartas anônimas.*

Como relâmpagos, novas ideias me passaram pela cabeça. Seria possível que a *própria* Mrs. Leidner houvesse escrito aquelas cartas? E que o dr. Leidner desconfiasse do fato?

10
Sábado à tarde

Mrs. Leidner contou sua história na sexta-feira. No sábado pela manhã pairava uma leve sensação de anticlímax no ar.

Mrs. Leidner, sobretudo, parecia disposta a se portar de modo muito seco comigo, evitando, um tanto ostensivamente, qualquer possibilidade de *tête-à-tête*. Ora, isso não me surpreendia! Quantas vezes não aconteceu coisa semelhante. Senhoras que revelam segredos às enfermeiras num acesso súbito de confiança e depois se sentem contrafeitas e arrependidas! É típico da natureza humana.

Tive o maior cuidado em não insinuar nem lembrar nada do que me confiara. Mantive, de propósito, a conversa no terreno mais banal possível.

Mr. Coleman seguira para Hassanieh de manhã cedo, dirigindo pessoalmente a camioneta e levando a correspondência dentro de uma mochila. Recebera também uma outra incumbência dos membros da expedição. Era dia de pagamento dos operários e tinha de ir ao banco retirar o dinheiro em troco miúdo. Tudo isso exigiria bastante tempo e só contava regressar lá pelo fim da tarde. Fiquei um pouco desconfiada de que talvez almoçasse em companhia de Sheila Reilly.

Nesses dias de pagamento geralmente trabalhavam nas escavações somente até as 15h30, hora em que começava a distribuição dos salários.

Abdullah, o garotinho encarregado de lavar as cerâmicas, achava-se, como de costume, no meio do pátio e continuava, também como de costume, a entoar aquele estranho cântico nasalado. O dr. Leidner e Mr. Emmott iam dedicar-se a um serviço qualquer nas cerâmicas antes que Mr. Coleman voltasse, e Mr. Carey se dirigira às escavações.

Mrs. Leidner recolheu-se a seu quarto para descansar. Ajudei-a, como sempre, a se acomodar e depois fui para meu quarto, levando um livro comigo, pois não estava com sono. Eram 12h45 e passei duas horas extremamente agradáveis. Estava lendo *Morte no hospital* — uma história de fato empolgante — embora não me parecesse que o escritor entendia grande coisa do funcionamento de uma casa de saúde! Eu, em todo caso, jamais encontrei alguma igual àquela! Deu-me realmente vontade de lhe escrever para que corrigisse certas coisas erradas.

Quando finalmente larguei o livro (a assassina fora a copeira ruiva, de quem eu nem sequer suspeitara!) e consultei o meu relógio de pulso, verifiquei assombrada que já eram 14h40!

Levantei-me, endireitei o uniforme e saí para o pátio.

Abdullah ainda estava lá, esfregando e sempre a cantar aquele cântico deprimente, e David Emmott, parado a seu lado, escolhia os vasos limpos, colocando os quebrados em caixas destinadas a futuros consertos. Enquanto eu me dirigia para eles, o dr. Leidner vinha descendo do terraço.

— A tarde até que não foi ruim — anunciou, animado. — Fiz um pouco de limpeza lá em cima. Louise vai ficar contente. Ultimamente anda se queixando de que não há espaço para caminhar. Vou-lhe dar as boas-novas.

Foi até a porta do quarto da esposa, bateu e entrou.

Creio que demorou mais ou menos um minuto e meio para sair novamente. Eu, por acaso, estava olhando para aquele lado. Parecia uma espécie de pesadelo. Ele entrara todo disposto, alegre. Agora surgia feito bêbado — cambaleante e com uma incrível expressão de estupor no rosto.

— Enfermeira... — chamou, numa voz rouca, esquisita. — Enfermeira...

Percebi logo que sucedera algo errado e corri para ele. Tinha um aspecto horrível — a fisionomia toda cinzenta e retorcida, e vi que ia desmaiar a qualquer momento.

— Minha mulher... — balbuciou. — Minha mulher... Oh, meu Deus!

Entrei no quarto imediatamente. E então perdi o fôlego. Mrs. Leidner jazia amontoada como uma trouxa horrenda ao pé da cama.

Inclinei-me para ela. Estava morta — devia ter morrido há uma hora, no mínimo. O modo como morrera era perfeitamente óbvio — uma violenta pancada na testa, logo acima da têmpora direita. Decerto se levantara da cama e fora agredida no mesmo instante, caindo onde se encontrava.

Não toquei nela mais que o estritamente necessário.

Olhei em torno do quarto para ver se havia qualquer coisa que fornecesse uma pista, mas nada parecia fora do lugar ou em desordem. As janelas estavam fechadas e trancadas, e não havia nenhum recanto para o assassino se esconder. Evidentemente já escapara há muito tempo.

Saí, fechando a porta atrás de mim.

O dr. Leidner, a essa altura, tinha desmaiado por completo. David Emmott, a seu lado, virou o rosto pálido, inquisitivo, para mim.

Em rápidas palavras em voz baixa, contei-lhe o que acontecera.

Conforme sempre me parecera, ele era uma pessoa admirável para se confiar em caso de calamidade. Ficou perfeitamente calmo e senhor de si. Arregalou os olhos azuis mas além disso não demonstrou o menor sinal de pânico.

Refletiu um segundo e depois disse:

— Acho que devemos comunicar à polícia o mais depressa possível. Bill já deve estar chegando. Que faremos com Leidner?

— Ajude-me a levá-lo pro quarto dele.

Concordou com a cabeça.

— Seria bom trancar antes esta porta — sugeriu.

Passou a chave na fechadura, tirou-a e me entregou.

— Creio que é melhor que você guarde, enfermeira. Agora vamos.

Levantamos juntos o dr. Leidner e o transportamos para seu quarto, deitando-o na cama. Mr. Emmott saiu em busca de conhaque. Voltou acompanhado de Miss Johnson. Embora tivesse o rosto tenso e ansioso, conservou-se serena e competente, e fiquei satisfeita em deixar o dr. Leidner entregue a seus cuidados.

Corri ao pátio. A camioneta vinha entrando naquele momento. Tenho a impressão de que todos levaram um choque ao avistar as faces coradas e risonhas de Bill ao saltar do veículo com seu habitual: — "Olá, olá, olá! Aqui está o *tutu.*" — E continuou, todo alegre: — "Não houve assalto na estrada..."

De repente cortou a frase.

— Ué, aconteceu alguma coisa? O que é que há com vocês? Até parece que um gato comeu o canário de estimação de alguém.

— Mrs. Leidner está morta... assassinada — explicou Mr. Emmott laconicamente.

— *Quê?* — o rosto jovial de Bill se modificou de maneira ridícula. Ficou com os olhos parados, saltando das órbitas. — A velha Leidner morta! Você está brincando.

— Morta? — Era um grito brusco. Virei-me e deparei com Mrs. Mercado às minhas costas. — Você disse que Mrs. Leidner foi *assassinada?*

— Sim — respondi. — Assassinada.

— Não! — exclamou. — Oh, não! Não posso acreditar. Talvez tenha cometido suicídio.

— Suicidas não dão pancadas na própria cabeça — afirmei, sarcástica. — Não há dúvida de que foi crime, Mrs. Mercado.

Ela sentou bruscamente num caixote.

— Oh, mas que coisa horrível — disse —, *horrível.*

Claro que era. Não precisávamos que *ela* declarasse isso! Fiquei imaginando se talvez não estaria sentindo um pouco de remorso pelos sentimentos cruéis que

Morte na Mesopotâmia 75

alimentara contra a morta, e todas as coisas rancorosas que falara.

Após alguns instantes perguntou meio ofegante:

— O que é que vocês pretendem fazer?

Mr. Emmott começou a dar instruções naquele seu modo sereno.

— Bill, seria bom você voltar para Hassanieh o mais depressa possível. Não sei direito as providências que se deve tomar. É melhor consultar o capitão Maitland, que é o encarregado da polícia local, acho eu. Primeiro chame o dr. Reilly. Ele decerto sabe o que se tem de fazer.

Mr. Coleman assentiu. Perdera por completo o ar brincalhão. Parecia apenas jovem e assustado. Sem pronunciar uma palavra, saltou dentro da camioneta e partiu.

— Creio que devíamos dar uma busca — opinou Mr. Emmott, com uma voz um tanto insegura.

E chamou:

— Ibrahim!

— *Na'am.*

O copeiro veio correndo. Mr. Emmott falou-lhe em árabe. Passou-se um veemente diálogo entre ambos. O garoto parecia negar enfaticamente qualquer coisa.

— Diz ele que não esteve ninguém aqui hoje à tarde — explicou Mr. Emmott finalmente, num tom de perplexidade. — Nenhuma espécie de estranho. Suponho que o sujeito entrou sorrateiramente, sem ser visto por eles.

— Naturalmente que sim — apoiou Mrs. Mercado. — Esgueirou-se cá para dentro quando os garotos não estavam olhando.

— É — fez Mr. Emmott.

Uma leve hesitação em sua voz me obrigou a olhá-lo interrogativamente.

Virou-se e falou com Abdullah, o menino das cerâmicas, fazendo-lhe uma pergunta, finda a qual o garoto replicou vigorosamente.

A perplexidade da testa franzida de Mr. Emmott aumentou ainda mais.

— Não compreendo — murmurou entre dentes. — Simplesmente não compreendo.

Porém não me disse o quê.

11
Um negócio esquisito

Limito-me, na medida do possível, a narrar apenas minha parte pessoal na história. Passo por alto os acontecimentos das duas horas seguintes, a chegada do capitão Maitland, da polícia e do dr. Reilly. Houve um bocado de confusão generalizada, interrogatórios, tudo coisa de rotina, imagino.

Na minha opinião, começou-se a chegar ao ponto crucial da questão lá pelas cinco horas, quando o dr. Reilly me pediu para ir falar com ele no escritório.

Fechou a porta, ocupou a cadeira do dr. Leidner, convidando-me a sentar à sua frente, e entrou logo no assunto:

— Muito bem, enfermeira, vamos aos fatos. Há qualquer coisa esquisita para burro nesse negócio.

Ajeitei os punhos e fiquei olhando para ele, na expectativa.

Tirou uma agenda do bolso.

— Isto é só pro meu controle pessoal. Agora, que horas eram exatamente quando o dr. Leidner encontrou o cadáver da esposa?

— Eu diria que eram precisamente 14h45 — respondi.

— Como é que você sabe?

— Ora, vi no relógio quando levantei. Eram 14h40.

— Mostre-me o relógio.

Tirei-o do pulso e entreguei-lhe.

— Está certíssimo. Perfeito. Bom, isso está *resolvido*. Agora, você calculou há quanto tempo ela já estaria morta?

— Ah, francamente, doutor — retruquei —, não me atrevo a determinar.

Morte na Mesopotâmia

— Não seja tão profissional. Quero ver se o seu cálculo combina com o meu.

— Olhe, eu diria que devia estar morta no mínimo há uma hora.

— Exato. Examinei o cadáver às 16h30, e me sinto inclinado a fixar a hora da morte entre 13h15 e 13h45. Digamos, às 13h30, mais ou menos. Por aí.

Parou, pensativo, tamborilando os dedos em cima da mesa.

— Esquisito para burro, esse negócio — disse. — Será que você não podia me dizer... estava descansando, não é? Não ouviu nada?

— Às 13h30? Não, doutor. Não ouvi coisa nenhuma, nem às 13h30, nem a qualquer outra hora. Fiquei deitada na cama desde 12h45 até 13h40 e não ouvi nada, exceto aquela lengalenga que o garoto árabe faz e, de vez em quando, Mr. Emmott gritando pro dr. Leidner lá em cima no terraço.

— O garoto árabe... sim.

Franziu a testa.

Nesse instante a porta se abriu e o dr. Leidner entrou, acompanhado do capitão Maitland. O chefe de polícia era um homenzinho impertinente com olhos cinzentos perspicazes.

O dr. Reilly se levantou e conduziu o dr. Leidner à cadeira que sempre ocupava.

— Sente-se, meu velho. Que bom que você veio. Vamos precisar de seu auxílio. Há qualquer coisa muito esquisita nesse negócio.

O dr. Leidner abaixou a cabeça.

— Eu sei — olhou para mim. — Minha mulher contou tudo para enfermeira Leatheran. Não podemos guardar segredos numa circunstância dessas, enfermeira, portanto faça o favor de descrever ao capitão Maitland e ao dr. Reilly exatamente o que se passou ontem entre a senhora e minha mulher.

Reproduzi a conversa quase literalmente.

O capitão Maitland, de quando em quando, soltava uma exclamação. Quando terminei, virou-se para o dr. Leidner.

— E isso é verdade, Leidner... hã?

— Cada palavra que a enfermeira Leatheran lhes contou é exata.

— Que história extraordinária — disse o dr. Reilly. — Podia mostrar-nos as tais cartas?

— Não tenho dúvida de que devem estar entre os pertences de minha mulher.

— Ela tirou-as da maleta em cima da mesa — lembrei.

— Então provavelmente estão lá.

Virou-se para o capitão Maitland e o seu rosto, habitualmente afável, mostrou-se duro e severo.

— Fica fora de toda cogitação abafar esta história, capitão Maitland. A única coisa indispensável é prender e punir esse homem.

— O senhor acredita realmente que tenha sido o primeiro marido de Mrs. Leidner? — perguntei.

— Acha que não, enfermeira? — retrucou o capitão Maitland.

— Bem, me parece duvidoso — opinei, hesitante.

— De qualquer forma — insistiu o dr. Leidner —, trata-se de um assassino... e lunático perigoso, ainda por cima. Ele *precisa* ser encontrado, capitão Maitland. Precisa. Não deve ser difícil.

— Talvez seja mais difícil do que você pensa, hem, Maitland? — comentou o dr. Reilly vagarosamente.

O chefe de polícia cofiou o bigode sem responder.

De repente tive um sobressalto.

— Desculpem-me — falei —, mas há uma coisa que talvez eu deva mencionar.

Contei a história do iraquiano que tínhamos surpreendido tentando espiar pela janela, e como eu voltara a encontrá-lo dois dias atrás, rondando o local com o pretexto de interrogar o padre Lavigny.

Morte na Mesopotâmia 79

— Ótimo — disse o capitão Maitland —, vamos tomar nota disso. Já é algo para polícia se basear. O homem pode ter alguma relação com o caso.

— Provavelmente pago para servir de espião — sugeri. — Para verificar se não havia perigo à vista.

O dr. Reilly esfregou o nariz num gesto preocupado.

— Aí é que está — disse. — Suponhamos que houvesse... hã?

Olhei perplexa para ele.

O capitão Maitland virou-se para o dr. Leidner.

— Ouça bem o que vou dizer-lhe, Leidner. Isto é uma recapitulação dos fatos apurados até agora. Depois do almoço, que foi servido ao meio-dia e terminou às 12h35, sua esposa, acompanhada pela enfermeira Leatheran, se recolheu ao quarto, onde ficou confortavelmente instalada. Você subiu ao terraço, passando lá as duas horas seguintes, confere?

— Sim.

— Durante esse tempo todo, você não desceu nem uma vez do terraço?

— Não.

— Alguém foi procurar você lá em cima?

— Sim, Emmott me procurou várias vezes. Andou de um lado pro outro, entre mim e o garoto que estava lavando as cerâmicas aqui embaixo.

— Em nenhum momento você se lembrou de olhar pro pátio?

— Uma ou duas vezes... mas só para perguntar alguma coisa a Emmott.

— Nessas ocasiões o garoto estava sempre sentado no mesmo lugar, lavando as cerâmicas?

— Estava.

— Qual foi o período de tempo mais longo em que Emmott esteve com você, ausente do pátio?

O dr. Leidner refletiu um pouco.

— É difícil dizer... dez minutos, talvez. Eu, pessoalmente, diria dois ou três minutos, mas sei por experiência que o meu sentido de tempo não é muito bom quando estou concentrado no que faço.

O capitão Maitland olhou para o dr. Reilly, que sacudiu afirmativamente a cabeça.

— É melhor tocar logo no assunto — disse.

O capitão Maitland tirou uma pequena agenda do bolso e abriu-a.

— Escute, Leidner, vou ler para você exatamente o que cada membro da sua expedição esteve fazendo entre uma e duas horas de hoje à tarde.

— Mas decerto...

— Espere. Você já vai perceber aonde eu quero chegar. Primeiro Mr. e Mrs. Mercado. Mr. Mercado diz que ficou trabalhando no laboratório. Mrs. Mercado diz que ficou no quarto, lavando a cabeça. Miss Johnson diz que ficou no *living*, tirando impressões de cilindros de lacre. Mr. Reiter diz que ficou no quarto escuro, revelando chapas. O padre Lavigny diz que ficou trabalhando em seu quarto. Quanto aos dois membros restantes da expedição, Carey e Coleman, o primeiro estava lá nas escavações e Coleman em Hassanieh. Agora os criados. O cozinheiro... que é indiano... ficou sentado do lado de fora da arcada, conversando com os guardas e depenando duas galinhas. Ibrahim e Mansur, os copeiros, reuniram--se a ele às 13h15, mais ou menos. Ambos permaneceram lá, rindo e falando até as 14h30... *quando sua esposa já estava morta*.

O dr. Leidner inclinou-se para a frente.

— Não entendo... você me deixa intrigado. Que está querendo provar?

— Há outros meios de acesso ao quarto de sua esposa além da porta que comunica com o pátio?

— Não. Tem duas janelas, mas são fortemente gradeadas... e, além do mais, creio que estavam fechadas.

Olhou para mim com ar interrogativo.

— Fechadas e trancadas por dentro — confirmei prontamente.

— Seja como for — retrucou o capitão Maitland. — Ainda que estivessem abertas, ninguém poderia ter entrado ou saído do quarto por ali. Meus colegas e eu já nos certificamos disso. O mesmo acontece com todas as outras janelas que dão para o lado de fora. Todas possuem grades de ferro em excelentes condições. Para ir ao quarto de sua esposa, um desconhecido *precisaria* passar pelo arco que dá acesso ao pátio. Mas os guardas, o cozinheiro e os copeiros garantiram que *ninguém fez isso.*

O dr. Leidner saltou em pé.

— O que você quer dizer? O que você quer dizer?

— Acalme-se, homem — pediu o dr. Reilly em voz baixa. Sei que é um choque, porém tem de ser enfrentado. *O assassino não veio do lado de fora...* portanto deve ter vindo *de dentro.* Tudo indica que Mrs. Leidner foi assassinada *por um membro da própria expedição.*

12
"Eu não acreditei..."

— Não. Não!

O dr. Leidner se levantou de um salto e pôs-se a andar de um lado para outro, todo agitado.

— O que você diz é impossível, Reilly. Absolutamente impossível. Um de *nós*? Ora, não há um só membro da expedição que não fosse afeiçoado a Louise!

Uma pequena expressão esquisita repuxou os cantos da boca do dr. Reilly. Naquelas circunstâncias era-lhe difícil falar qualquer coisa, mas se algum dia o silêncio de um homem foi eloquente foi bem o dele nesse instante.

— Totalmente impossível — reiterou o dr. Leidner.

— Não havia quem não gostasse dela. Louise possuía um charme indiscutível. Cativava a todos.

O dr. Reilly tossiu.

— Desculpe-me, Leidner, mas afinal de contas essa é apenas a sua opinião. Se algum membro da expedição antipatizasse com sua esposa naturalmente não iria apregoar o fato a você.

O dr. Leidner fez uma cara angustiada.

— É verdade... tem razão. Mas mesmo assim, Reilly, acho que você está enganado. Tenho certeza de que todo mundo gostava muito de Louise.

Manteve-se calado um instante e depois explodiu.

— Essa sua ideia é abominável. É... é francamente incrível.

—Você não pode negar a evidência dos... hum... fatos — declarou o capitão Maitland.

— Fatos? Fatos? Mentiras pregadas por um cozinheiro indiano e dois copeiros árabes. Você sabe tão bem quanto eu como essa gente é, Reilly; e você também, Maitland. A verdade não tem o menor sentido para eles. Dizem o que se quer que eles digam por uma mera questão de cortesia.

— Nesse caso — replicou o dr. Reilly, irônico —, estão dizendo o que *não* queremos que digam. Aliás, conheço os hábitos desta casa razoavelmente bem. Logo do outro lado do portão existe uma espécie de clube social. Toda vez que vim aqui de tarde, sempre encontrei a maior parte da criadagem lá. É o lugar natural para eles estarem.

— Mesmo assim creio que você exagera suas suposições. Que impediria que esse homem... esse demônio... tivesse entrado aqui antes e se escondido em algum canto?

— Concordo que não é de todo impossível — respondeu o dr. Reilly. — Suponhamos que um desconhecido conseguisse, de fato, entrar sem ser pressentido. Teria de permanecer escondido até o momento oportuno (e certamente não no quarto de Mrs. Leidner, onde não há esconderijos) e correr o risco de ser visto entrando e saindo... com Emmott e o garoto no pátio durante a maior parte do tempo.

— O garoto. Tinha-me esquecido dele — exclamou o dr. Leidner. — É um pirralho muito vivo. Mas com certeza, Maitland, ele *deve* ter visto o assassino entrar no quarto de minha mulher.

— Já verificamos isso. O garoto esteve lavando cerâmicas a tarde inteira, a não ser num determinado momento. Lá pelas 13h30, mais ou menos... Emmott não se lembra com muita exatidão... foi quando subiu ao terraço e ficou cerca de dez minutos com você... não foi?

— Sim. Eu não saberia dizer a hora exata, mas deve estar certo.

— Muito bem. Ora, durante esses dez minutos, o garoto, aproveitando a oportunidade para vadiar, correu lá fora e se reuniu aos outros companheiros na frente do portão para conversar. Quando Emmott desceu, deu pela ausência dele e chamou-o, irritado, perguntando-lhe o que significava aquele abandono do serviço. No meu entender, *sua esposa deve ter sido assassinada durante esses dez minutos.*

Com um gemido, o dr. Leidner sentou e cobriu o rosto com as mãos.

O dr. Reilly tomou a palavra, num tom calmo e casual.

— A hora combina com o que apurei — disse. — Ela estava morta há cerca de três horas quando a examinei. A única dúvida é... quem teria sido?

Houve um silêncio. O dr. Leidner endireitou o corpo na cadeira e passou a mão na testa.

— Reconheço a evidência do seu raciocínio, Reilly — declarou em voz baixa. — Realmente até *parece* o que se chamaria de "um serviço interno". Eu, porém, estou convencido de que há um engano num ponto qualquer. A explicação é plausível mas deve conter uma falha. Para começar, você está supondo que tenha ocorrido uma coincidência assombrosa.

— Que estranho você usar essa palavra — observou o dr. Reilly.

Sem prestar a mínima atenção, o dr. Leidner prosseguiu.

— Minha mulher recebe cartas de ameaça. Possui motivo para temer certa pessoa. Depois é... morta. E você me pede para acreditar que foi assassinada... não por aquela pessoa... mas por alguém completamente diferente! Eu digo que isso é ridículo.

— É... parece sim — concordou o dr. Reilly, pensativo. Olhou para o capitão Maitland. — Coincidência... hã? O que é que você acha, Maitland? Está a favor da ideia? Vamos explicar pro Leidner?

O capitão Maitland fez um aceno.

— Pode falar — limitou-se a responder.

— Já ouviu falar num homem chamado Hercule Poirot, Leidner?

O dr. Leidner olhou perplexo para ele.

— Creio que sim — respondeu vagamente. — Uma vez ouvi um tal de Mr. Van Aldin se referir a ele nos termos mais elogiosos. Um detetive particular, não é?

— Exato.

— Mas decerto ele vive em Londres, portanto como nos poderá ajudar?

— Vive em Londres, de fato — disse o dr. Reilly —, e aqui é que entra a coincidência. Ele agora não está em Londres mas na Síria, *e efetivamente passará amanhã por Hassanieh, a caminho de Bagdá!*

— Quem lhe contou?

— Jean Berat, o cônsul francês. Jantou conosco ontem à noite e esteve falando sobre ele. Parece que esteve deslindando um escândalo militar na Síria. Vai passar por aqui para visitar Bagdá, regressando depois a Londres pela Síria. Que tal a coincidência?

O dr. Leidner hesitou um instante e olhou humildemente para o capitão Maitland.

— O que é que o senhor acha, capitão Maitland?

— Receberia auxílio de bom grado — respondeu Maitland prontamente. — Meus colegas são bons elementos para vasculhar o interior do país e investigar atritos entre famílias árabes, mas francamente, Leidner, este negócio de sua esposa me parece um pouco fora do meu gênero. A coisa toda está com um ar abominavelmente suspeito. Sinto-me mais do que disposto a deixar o sujeito examinar o caso.

Morte na Mesopotâmia   85

— Sugere que eu devo apelar ao tal Poirot para nos ajudar? — perguntou o dr. Leidner. — E suponhamos que ele recuse?

— Não recusará — afirmou o dr. Reilly.

— Como pode ter certeza?

— Porque também sou um profissional. Se me aparecesse um caso realmente intrincado, digamos de... meningite cerebrospinal e me convidassem a dar uma opinião, eu não saberia recusar. Não se trata de um crime banal, Leidner.

— Não — admitiu o dr. Leidner, os lábios subitamente retorcidos de dor.

— Reilly, você quer encarregar-se então de procurar o tal Hercule Poirot em meu nome?

— Pois não.

O dr. Leidner fez um gesto de agradecimento.

— Mesmo agora — acrescentou, a caro custo —, não consigo imaginar... que Louise esteja de fato morta.

Não pude suportar mais.

— Oh, dr. Leidner — explodi. — Eu... eu nem sei dizer o quanto eu sinto tudo o que aconteceu. Fracassei de uma forma tão miserável em cumprir com meu dever. Tinha obrigação de zelar por Mrs. Leidner... protegê-la de qualquer perigo.

O dr. Leidner sacudiu gravemente a cabeça.

— Não, não, enfermeira, você nada tem a se recriminar — declarou lentamente. — Sou *eu*, que Deus me perdoe, que tenho a culpa. *Eu não acreditei...* o tempo todo, não acreditei... nem sequer sonhei por um instante que houvesse algum perigo *verdadeiro* — levantou-se, o rosto contraído. — *Deixei que ela fosse morta*. Sim, deixei que fosse morta... *sem acreditar...*

E saiu cambaleando da sala.

O dr. Reilly olhou para mim.

— Sinto-me culpado também — disse. — Pensei que a boa senhora estivesse brincando com os nervos dele.

— Eu tampouco levei realmente a sério — confessei.

— Todos nós três estávamos errados — reconheceu o dr. Reilly solenemente.

— Pelo jeito sim — afirmou o capitão Maitland.

13
A chegada de Hercule Poirot

Creio que jamais esquecerei minha primeira visão de Hercule Poirot. É claro que mais tarde me acostumei com ele; mas para começar, foi um choque, e acho que todos os outros devem ter sentido a mesma coisa!

Não sei o que havia imaginado — algo meio parecido com Sherlock Holmes — alto e magro, de fisionomia perspicaz e inteligente. Sabia, naturalmente, que era estrangeiro mas não esperava que fosse *tanto* assim, se é que me faço entender.

Ao vê-lo, dava vontade de rir! Dir-se-ia que tivesse saído de um palco ou de um filme. Para começar, não tinha mais de metro e meio de altura, na minha opinião — um homenzinho gordo, esquisito, bastante velho, com um bigode enorme e a cabeça oval. O protótipo do cabeleireiro das peças cômicas!

E esse era o homem que ia descobrir o assassino de Mrs. Leidner!

Suponho que parte do meu desagrado no mínimo se estampava na minha cara, porque ele quase imediatamente me perguntou, piscando o olho de modo esquisito:

— Julga que não sou o homem indicado, *ma soeur*? Lembre-se de que só com o tempo é que a gente tem o direito de opinar.

Só a experiência comprova, *imagino* que fosse o que ele queria dizer.

Ora, é um ditado bastante certo mas não posso afirmar que me infundisse muita confiança!

Morte na Mesopotâmia 87

O dr. Reilly trouxe-o de carro no domingo, logo após o almoço, e sua primeira medida foi marcar uma entrevista coletiva com todos os membros da expedição.

A reunião foi na sala de refeições, em torno da mesa. Mr. Poirot ocupou a cabeceira, ladeado pelo dr. Leidner e pelo dr. Reilly.

Quando estávamos todos sentados, o dr. Leidner pigarreou e começou a falar com aquela voz delicada, vacilante.

— Creio que posso dizer que os presentes já conhecem M. Hercule Poirot de nome. Ele estava passando hoje por Hassanieh e teve a suma gentileza de interromper a viagem para nos prestar auxílio. Tenho certeza de que a polícia iraquiana e o capitão Maitland estão fazendo o máximo possível mas... há circunstâncias no caso — atrapalhou-se, lançando um olhar de apelo ao dr. Reilly —, que parece que talvez apresentem dificuldades.

— Não está tudo evidente e à tona d'água, não? — perguntou o homenzinho na ponta da mesa. Ora, nem sequer sabia falar direito!

— Oh, ele *precisa* ser descoberto! — bradou Mrs. Mercado. — Seria insuportável se ele ficasse impune!

Notei que os olhos do estrangeiro baixinho pousaram nela de uma maneira avaliatória.

— Ele? *Ele* quem, Madame? — indagou.

— Mas o assassino, lógico.

— Ah! O assassino — repetiu Hercule Poirot.

Falava como se o assassino não tivesse a menor importância.

Todos olharam fixamente para ele. Examinou um rosto após outro.

— É provável, acho eu — declarou —, que nenhum dos presentes tenha entrado antes em contato com um caso de homicídio, não?

Houve um murmúrio geral de assentimento.

Hercule Poirot sorriu.

— É claro, portanto, que não compreendem o ABC da situação. Há aborrecimentos! Sim, há uma porção de aborrecimentos. Para começar, há *suspeita*?

— Suspeita?

Fora Miss Johnson quem estranhara. Mr. Poirot olhou pensativamente para ela. Tive a sensação de que lhe causara uma impressão favorável. Parecia estar pensando: "Eis aí uma pessoa sensata e inteligente!"

— Sim, Mademoiselle — respondeu. — Suspeita! Vamos deixar de cerimônias. *Todos os moradores desta casa estão sob suspeita*. O cozinheiro, o copeiro, o lavador de pratos, o garoto das cerâmicas... sim, e todos os membros da expedição também.

Mrs. Mercado se levantou de repente, com o rosto agitado.

— Como *ousa*? Como se atreve a dizer tal coisa? Isso é odioso... insuportável! Dr. Leidner... o senhor vai ficar aí sentado, permitindo que este homem... que este homem...

— Por favor, procure ficar calma, Marie — aconselhou o dr. Leidner, aborrecido.

Mr. Mercado também se levantou. Tinha as mãos trêmulas e os olhos injetados.

— Eu concordo. É um ultraje... um insulto...

— Não, não — protestou Mr. Poirot. — Não estou insultando ninguém. Peço apenas que examinem os fatos. *Numa casa onde foi cometido um crime, cada morador incorre numa certa parcela de suspeita*. Eu lhes pergunto: qual é a prova que existe de que o assassino seja uma pessoa estranha?

— Mas claro que é! — exclamou Mrs. Mercado. — Está para lá de evidente! Ora... — parou e acrescentou com menos ímpeto: — Qualquer outra explicação seria incrível!

— A senhora, sem dúvida, tem razão, Madame — afirmou Poirot com uma reverência. — Vou explicar-lhes apenas de que modo o assunto deve ser tratado. Primeiro me certifico do fato de que todas as pessoas presentes nesta sala são inocentes. Depois busco o criminoso em outra parte.

— Não acha provável que então já será tarde demais? — sugeriu o padre Lavigny com a máxima suavidade.

— A tartaruga, *mon père*, alcançou a lebre.

O monge encolheu os ombros.

Morte na Mesopotâmia   89

— Estamos em suas mãos — disse, resignado. — Procure convencer-se tão logo quanto possível de nossa inocência nessa história terrível.

— O mais rápido que eu puder. Tinha a obrigação de esclarecer a situação, para que ninguém se ofendesse com a impertinência de certas perguntas que terei de fazer. Talvez, *mon père*, a Igreja queira dar o bom exemplo?

— Faça as perguntas que quiser — respondeu o padre Lavigny, em tom solene.

— É a primeira vez que o senhor vem aqui?

— É.

— E quando chegou?

— Amanhã farão três semanas. Ou seja, no dia 27 de fevereiro.

— De onde veio?

— Da Ordem dos *Pères Blanches* de Cartago.

— Obrigado, *mon père*. Já conhecia Mrs. Leidner anteriormente?

— Não. Nunca tinha visto essa senhora antes de encontrá-la aqui.

— Poderia dizer o que fazia na hora da tragédia?

— Estava decifrando umas placas cuneiformes no meu quarto.

Reparei que Poirot tinha ao lado do cotovelo uma planta esquemática do prédio.

— É o que fica no canto sudoeste, correspondente ao de Mrs. Leidner no lado oposto?

— Exatamente.

— A que horas o senhor foi pro seu quarto?

— Logo depois do almoço. Eu diria que às 12h40, mais ou menos.

— E permaneceu lá até... quando?

— Pouco antes das três. Ouvi a camioneta entrar... e depois sair outra vez. Fiquei intrigado e fui ver o que havia.

— Durante o tempo em que esteve em seu quarto não saiu para coisa alguma?

— Não, nem uma vez.

— E escutou ou viu algo que pudesse ter qualquer relação com a tragédia?

— Não.

— Seu quarto tem janelas que comuniquem com o pátio?

— Não, ambas dão pro lado do campo.

— Ouviu alguma coisa dos movimentos no pátio?

— Muito não. Ouvi Mr. Emmott passando pelo meu quarto e subindo ao terraço. Fez isso uma ou duas vezes.

— Não se recorda da hora?

— Não, creio que não. Estava concentrado no trabalho, compreende?

Houve uma pausa e depois Poirot perguntou:

— Seria capaz de dizer ou sugerir qualquer coisa que pudesse esclarecer essa história? Por exemplo, notou algo nos dias que precederam o crime?

O padre Lavigny pareceu ligeiramente contrafeito. Lançou um olhar meio interrogativo ao dr. Leidner.

— Essa pergunta é um pouco delicada, Monsieur — respondeu num tom grave. — Já que faz questão de saber, devo confessar com franqueza que, na minha opinião, Mrs. Leidner andava nitidamente com medo de alguém ou de alguma coisa. Qualquer desconhecido a punha nervosa. Imagino que houvesse motivo para esse nervosismo dela... porém não *sei* de nada. Ela não confiava em mim.

Poirot pigarreou e consultou certas anotações que segurava na mão.

— Duas noites atrás, pelo que vejo, ocorreu pânico por causa de um roubo.

O padre Lavigny confirmou, relatando a história da luz vista no depósito de antiguidades e a subsequente busca inútil.

— O senhor então acredita que alguém entrou ilicitamente nas dependências da casa nessa ocasião?

— Não sei o que pensar — admitiu francamente o padre Lavigny. — Não dei pela falta de nada e tudo estava em ordem. Talvez tivesse sido um dos copeiros...

— Ou um membro da expedição?

— Também. Mas nesse caso não haveria motivo para que essa pessoa negasse o fato.

— Mas *também* podia ter sido um desconhecido?

— Suponho que sim.

— Admitindo que um desconhecido *tivesse* entrado nas dependências da casa, poderia ele esconder-se com êxito durante o dia seguinte, até a tarde do dia imediatamente posterior?

Dirigiu a pergunta simultaneamente ao padre Lavigny e ao dr. Leidner. Os dois refletiram antes de responder.

— Acho praticamente impossível — declarou o dr. Leidner por fim, com certa relutância. — Não vejo onde poderia esconder-se, não é, padre Lavigny?

— Não... não... eu também não.

Ambos se mostravam relutantes em descartar a sugestão. Poirot virou-se para Miss Johnson.

— E Mademoiselle? Acha tal hipótese plausível?

Após considerar um instante, Miss Johnson sacudiu a cabeça.

— Não — afirmou. — Não acho. Onde iria alguém se esconder? Todos os quartos estão ocupados e, de qualquer forma, contêm pouquíssimos móveis. O quarto escuro, a sala de desenho e o laboratório foram usados no dia seguinte... como aliás todas as salas deste lado. Não existem armários nem desvãos. A menos que os empregados estivessem de conluio...

— O que é possível mas improvável — disse Poirot.

Virou-se outra vez para o padre Lavigny.

— Há mais uma coisa ainda. Faz poucos dias a enfermeira Leatheran, aqui presente, viu o senhor conversando com um homem lá fora. Ela já havia notado anteriormente o mesmo sujeito tentando espiar por uma das janelas externas. Até parece que ele andava rondando o local de propósito.

— Isso é possível, claro — retrucou o padre Lavigny, pensativo.

— Foi o senhor que tomou a iniciativa ou foi ele quem puxou conversa?

O monge pensou um momento.

— Acredito... sim, tenho certeza, que foi ele.

— O que foi que ele disse?

O padre Lavigny fez um esforço de memória.

— Creio que perguntou qualquer coisa assim, se era esta a casa da expedição americana. E depois algo a respeito dos americanos empregarem uma porção de operários na obra. Eu de fato não entendi muito bem mas me esforcei para manter a conversa a fim de melhorar meu árabe. Achei que talvez, sendo citadino, pudesse compreender-me mais do que os trabalhadores das escavações.

— Conversaram sobre algum outro assunto?

— Ao que me lembro, comentei que Hassanieh era uma grande cidade... e depois concordamos que Bagdá era maior... e acho que ele quis saber se eu era armênio ou sírio católico... algo nesse gênero.

Poirot assentiu.

— Pode descrevê-lo?

O padre Lavigny franziu a testa de novo.

— Era bastante baixo — respondeu afinal —, e de constituição física atarracada. Tinha um estrabismo bem flagrante e pele clara.

Mr. Poirot virou-se para mim.

— Está de acordo com a descrição que faria dele?

— Não exatamente — disse, meio hesitante. — Eu diria que era alto, e não baixo, e de pele bem morena. Pareceu-me um tanto magro. Não notei estrabismo nenhum.

Mr. Poirot deu de ombros, desesperado.

— É sempre assim! Se vocês fossem da polícia veriam como tenho razão! A descrição do mesmo homem por duas pessoas diferentes... nunca coincide. Todos os detalhes se contradizem.

— Estou praticamente certo do estrabismo — afirmou o padre Lavigny. — Talvez a enfermeira Leatheran tenha razão sobre o resto. A propósito, quando eu disse que ele tinha pele *clara*, significava clara para um iraquiano. No mínimo a enfermeira chamaria de escura.

— Bem escura — repeti, obstinada. — Uma cor de sujeira amarelo-escuro.

Vi o dr. Reilly morder os lábios e sorrir. Poirot ergueu os braços.

— *Passons!* — exclamou. — Esse desconhecido perambulando por aí, talvez seja importante... talvez não. Seja como for, precisa ser encontrado. Continuemos nossas perguntas.

Hesitou um momento, analisando os rostos virados para ele em redor da mesa e depois, com rápido aceno, escolheu Mr. Reiter.

—Vamos, meu amigo. Conte-nos sua versão dos acontecimentos de ontem à tarde.

O semblante rosado e redondo de Mr. Reiter ficou rubro.

— Eu? — estranhou.

— Sim, o senhor. Para começar, qual é o seu nome e sua idade?

— Carl Reiter. Vinte e oito.

— Americano... não é?

— Sim, sou de Chicago.

— É a primeira vez que vem aqui?

— É. Sou o encarregado das fotografias.

—Ah, sim. E ontem à tarde, como empregou seu tempo?

— Bem... praticamente não saí do quarto escuro.

— *Praticamente*... hem?

— É. Primeiro revelei umas chapas. Depois fiquei arrumando uns objetos para fotografar.

— Do lado de fora?

— Oh, não, no departamento de fotografias.

— O quarto escuro comunica com esse departamento?

— Comunica.

— E portanto nunca saiu de lá?

— Não.

— Notou alguma coisa quando foi pro pátio?

O rapaz sacudiu a cabeça.

— Não notei nada — explicou. — Estava ocupado. Ouvi o carro voltar e assim que pude largar o que estava fazendo, saí para ver se tinha correspondência. Foi então que... fiquei sabendo.

— E começou seu trabalho no departamento de fotografias... a que horas?

— Às 12h50.

— Conhecia Mrs. Leidner antes de ingressar nesta expedição?

O rapaz tornou a sacudir a cabeça.

— Não, senhor. Encontrei-a pela primeira vez ao chegar aqui.

— Não se lembra de *nada*... de algum incidente... por menor que seja... que nos pudesse ajudar?

Carl Reiter sacudiu a cabeça.

— Acho que não sei de coisíssima alguma, Monsieur — respondeu, atarantado.

— Mr. Emmott?

David Emmott falou com clareza e concisão naquela sua simpática e suave voz americana.

— Estive ocupado com as cerâmicas de 12h45 até 14h45... controlando o menino Abdullah, escolhendo peças e, de vez em quando, subindo ao terraço para ajudar o dr. Leidner.

— Quantas vezes esteve lá?

— Quatro, creio.

— Por quanto tempo?

— Em geral dois minutos... não mais. Mas numa ocasião, depois que fiquei trabalhando cerca de mais de uma hora, me demorei uns bons dez minutos... discutindo o que se devia guardar ou jogar fora.

— E, pelo que vejo, quando desceu verificou que o garoto tinha abandonado o posto?

— Sim. Chamei-o, irritado, e ele reapareceu na passagem da arcada. Havia saído para conversar com os outros.

— Foi a única vez que ele largou o serviço?

— Bem, mandei-o uma ou duas vezes levar cerâmicas ao terraço.

— Creio que nem preciso perguntar, Mr. Emmott, se viu alguém entrar ou sair do quarto de Mrs. Leidner durante esse tempo — disse Poirot gravemente.

— Não vi absolutamente ninguém — foi a pronta resposta obtida. — Não apareceu vivalma no pátio durante as duas horas em que estive trabalhando.

— E, segundo julga, eram 13h30 quando o senhor e o garoto se ausentaram, deixando o pátio deserto?

— Não devia ser numa hora muito diferente. Naturalmente não posso afirmar com *exatidão*.

Poirot virou-se para o dr. Reilly.

— Isso coincide com seu cálculo da hora da morte, doutor?

— Coincide — afirmou o médico.

Mr. Poirot cofiou os vastos bigodes retorcidos.

— Acho que podemos estabelecer — declarou, solene — que Mrs. Leidner foi assassinada durante esses dez minutos.

14
Um de nós?

Houve uma pequena pausa — e uma onda de horror parecia rondar a mesa.

Creio que foi nesse momento que acreditei pela primeira vez que a teoria do dr. Reilly estivesse certa.

Senti que o assassino se encontrava na sala. Sentado conosco — escutando. *Um de nós*.

Talvez Mrs. Mercado também sentisse. Pois de repente soltou um grito estridente.

— Não posso evitar — soluçou. — Eu... é tão *horrível*!

— Ânimo, Marie — disse-lhe o marido.

E olhou para nós com ar de humildade.

— Ela é tão sensível. Tem uma sensibilidade à flor da pele.

— Eu... eu gostava tanto de Louise — soluçou Mrs. Mercado.

Não sei se deixei transparecer alguma coisa do que estava sentindo mas de repente notei que Mr. Poirot me fitava, com um leve sorriso pairando em seus lábios.

Devolvi-lhe um olhar glacial e ele recomeçou logo o interrogatório.

— Conte-me, Madame — disse —, a maneira como passou a tarde de ontem.

— Fiquei lavando meu cabelo — soluçou Mrs. Mercado. — Parece incrível não ter sabido de nada. Eu estava tão contente e ocupada.

— Em seu quarto?

— Sim.

— E não saiu de lá?

— Não. Até ouvir o carro. Então saí e soube do que havia acontecido. Oh, que *horror*!

— Admirou-se?

Mrs. Mercado parou de chorar. Seus olhos se abriram, ressentidos.

— O que é que o senhor quer dizer, M. Poirot? Está insinuando...

— Insinuando o quê, Madame? A senhora acaba de nos dizer o quanto gostava de Mrs. Leidner. Ela podia, talvez, lhe ter feito confidências.

— Oh, percebo. Não... não, a querida Louise nunca me contou nada... nada *preciso*, isto é. Claro que notei que andava tremendamente preocupada e nervosa. E houve aquelas estranhas ocorrências... mãos batendo na janela e tudo o mais.

— Imaginações, lembro que a senhora falou — intervim, incapaz de guardar silêncio.

Alegrei-me ao ver que, por um instante, a deixara desconcertada.

Mais uma vez, senti o olhar divertido de Mr. Poirot virar-se em minha direção.

Ele recapitulou a situação de um jeito sistemático.

Morte na Mesopotâmia   97

— O negócio é o seguinte, Madame: a senhora estava lavando a cabeça... nada viu nem ouviu. Não se recorda absolutamente de alguma coisa que possa auxiliar a investigação?

Mrs. Mercado não perdeu tempo em pensar.

— Não, de fato não. É o mais absoluto mistério! Porém eu diria que não há dúvida... de espécie alguma, de que o assassino foi um estranho. Ora, é evidente.

Poirot virou-se para o marido.

— E o senhor, Monsieur, o que acha?

Mr. Mercado estremeceu, inquieto. Puxou a barba, distraído.

— Deve ter sido. Deve ter sido — respondeu. — Entretanto, como é possível que alguém quisesse causar-lhe mal? Ela era tão delicada... tão boa... — sacudiu a cabeça. — Quem a matou, seja lá quem for, só pode ser um monstro... sim, um monstro!

— E como foi que Monsieur passou a tarde de ontem?

— Eu... — ficou de olhos fixos, vagos.

— Você estava no laboratório, Joseph — assoprou-lhe a esposa.

— Ah, é, de fato... realmente. Nas tarefas de sempre.

— A que horas foi para lá?

Ele novamente consultou Mrs. Mercado com um olhar desamparado e interrogativo.

— Faltavam dez para uma, Joseph.

— Ah, é, às 12h50.

— Saiu alguma vez ao pátio?

— Não... creio que não — considerou um pouco. — Não, tenho certeza de que não.

— Quando soube da tragédia?

— Minha mulher veio contar-me. Foi horrível... chocante. Custei a acreditar. Mesmo agora mal consigo acreditar que seja verdade — de repente começou a tremer. — É pavoroso... pavoroso.

Mrs. Mercado se aproximou rapidamente dele.

— Sim, sim, Joseph, todos nós sentimos o mesmo. Mas não nos devemos entregar. Torna tudo muito penoso pro coitado do dr. Leidner.

Vi um espasmo de dor passar pelo rosto do dr. Leidner, e imaginei que essa atmosfera emocional não era fácil para ele. Lançou um tímido olhar de apelo a Poirot. A reação de Poirot foi imediata.

— Miss Johnson? — perguntou.

— Receio ter pouquíssimo a lhe dizer — respondeu ela. Sua voz de mulher culta e bem-educada era um alívio depois da aguda estridência de Mrs. Mercado. Continuou:

— Fiquei trabalhando no *living*... tirando impressões dos cilindros de lacres em plasticina.

— E não ouviu nem notou nada?

— Não.

Poirot lançou-lhe um olhar súbito. Seu ouvido captara a mesma coisa que o meu — uma leve nota de indecisão.

— Tem certeza, Mademoiselle? Não existe algo de que se lembre vagamente?

— Não... realmente não...

— Algo que vislumbrou, digamos, com o rabo do olho, praticamente sem se dar conta?

— Não, certamente que não — replicou, positiva.

— Algo que *ouviu*, então. Ah, sim, qualquer coisa de que não está bem segura, se ouviu ou não?

Miss Johnson soltou uma curta risada aborrecida.

— O senhor está-me forçando demais, M. Poirot. Assim vou acabar dizendo o que estou, talvez, apenas imaginando.

— Então *houve* algo que... digamos... imaginou?

Miss Johnson respondeu devagar, pesando cada palavra de maneira bem marcante:

— Imaginei... depois... que certa hora, durante a tarde, eu ouvira um grito muito fraco. O que eu digo é que me atrevo a afirmar que *realmente* escutei um grito. Todas as janelas do *living* estavam abertas e a gente ouve tudo quanto é espécie de barulho dos camponeses trabalhando

Morte na Mesopotâmia 99

nas plantações de cevada. Mas não vê que... depois... me passou pela cabeça a ideia de que era... de que era Mrs. Leidner que eu tinha ouvido. E isso me deixou bastante triste. Porque se eu tivesse corrido logo ao quarto dela... ora, quem sabe? Talvez chegasse a tempo...

— Olhe, não comece com essas ideias — atalhou o dr. Reilly, autoritário. — Não tenho dúvida de que Mrs. Leidner (me perdoe, Leidner) foi agredida quase no mesmo instante em que o homem entrou no quarto, e que esse golpe a matou. Não recebeu nenhum outro. Senão teria tido tempo de gritar por socorro e armado um verdadeiro tumulto.

— Mesmo assim eu podia ter surpreendido o assassino — insistiu Miss Johnson.

— Que horas eram, Mademoiselle? — perguntou Poirot. — Por volta de 13h30?

— Sim... deve ter sido — afirmou, depois de refletir um pouco.

— O que coincidiria — comentou Poirot, pensativo. — Não escutou mais nada... uma porta sendo aberta ou fechada, por exemplo?

Miss Johnson sacudiu a cabeça.

— Não, não me lembro de nada nesse gênero.

— Estava sentada a uma mesa, suponho. Para que lado ficou virada? Pro pátio? Pro depósito de antiguidades? Para varanda? Ou pro campo lá fora?

— De frente pro pátio.

— Podia enxergar o garoto Abdullah lavando cerâmicas?

— Oh, sim, se eu levantasse a vista, mas naturalmente estava muito concentrada no que fazia. Absorvia toda a minha atenção.

— Se alguém passasse diante da janela, entretanto, teria percebido?

— Ah, sim, tenho quase certeza.

— E ninguém passou.

— Não.

— Mas se alguém cruzasse, digamos, o centro do pátio, teria notado?

— Acho que... provavelmente não... a menos, como já disse, que por acaso levantasse a cabeça e olhasse para janela.

— Não reparou quando o garoto Abdullah largou o serviço e foi-se juntar aos outros criados?

— Não.

— Dez minutos — refletiu Poirot. — Aqueles dez minutos fatídicos.

Fez-se momentâneo silêncio.

De repente Miss Johnson ergueu os olhos e disse:

— Sabe, M. Poirot, creio que, sem querer, iludi o senhor. Pensando bem, não acredito que de onde eu estava fosse possível ouvir qualquer grito proveniente do quarto de Mrs. Leidner. O depósito de antiguidades fica entre as duas salas... e ao que consta as janelas dela estavam fechadas.

— De qualquer forma, não se torture, Mademoiselle — retrucou Poirot, solícito. — De fato não tem muita importância.

— Não, claro que não. Eu sei disso. Mas o caso é que para mim *tem*, porque julgo que podia ter feito algo.

— Não se aflija, minha cara Anne — disse o dr. Leidner afetuosamente. — Você precisa ser sensata. O que escutou foi provavelmente algum árabe gritando com outro, ao longe, no campo.

Miss Johnson corou um pouco com a solicitude do seu tom. Vi até lágrimas lhe assomarem aos olhos. Desviou a cabeça para outro lado e falou com voz ainda mais rouca do que de costume.

— No mínimo foi isso. É o que sempre acontece depois de uma tragédia... começa-se a imaginar coisas que afinal de contas não foram bem assim.

Poirot consultou de novo a agenda.

— Não creio que haja muito mais a dizer. Mr. Carey?

Richard Carey falou devagar — de modo insípido, maquinal.

— Receio que não possa acrescentar nada de útil. Estive de plantão nas escavações. Foi lá que recebi a notícia.

Morte na Mesopotâmia   101

— E não sabe ou lembra de qualquer detalhe significativo ocorrido nos dias que precederam o crime?

— Absolutamente nada.

— Mr. Coleman?

— Fiquei alheio por completo à história toda — respondeu, com... talvez uma sombra de pesar... na voz. — Fui a Hassanieh ontem de manhã para buscar dinheiro pro salário dos operários. Quando voltei, Emmott me contou o que havia acontecido e saí com a camioneta para chamar a polícia e o dr. Reilly.

— E antes disso?

— Bem, as coisas andavam um pouco tensas... mas isso o senhor já sabe. Houve o pânico do depósito de antiguidades e um ou dois incidentes anteriores... mãos e rostos na janela... o senhor se lembra, não é? — apelava para o dr. Leidner, que curvou a cabeça, assentindo. — Eu acho, entende, que terminará descobrindo que um fulano qualquer entrou *mesmo* sorrateiramente aqui. Deve ter sido algum miserável muito esperto.

Poirot contemplou-o em silêncio durante um instante.

— O senhor é inglês, Mr. Coleman? — perguntou por fim.

— Sou, sim. Bem inglês. Marca registrada. Autêntico e garantido.

— É o primeiro ano que vem?

— Exatamente.

— E se interessa apaixonadamente por arqueologia?

Essa descrição de si mesmo pareceu causar certo embaraço a Mr. Coleman. Enrubesceu um pouco e lançou um olhar de soslaio, feito um colegial com culpa no cartório, ao dr. Leidner.

— Claro... é tudo tão interessante — gaguejou. — Quero dizer... não sou precisamente um camarada intelectual...

Interrompeu a frase, sem jeito. Poirot não insistiu.

Bateu pensativo na mesa com a ponta do lápis e endireitou, com o maior cuidado, um borrão de tinta que se achava à sua frente.

— Pelo visto, então — declarou —, isso é o máximo que podemos apurar por enquanto. Se algum dos presentes se lembrar de qualquer coisa que lhe tenha escapado à memória, não hesite em vir comunicar-me. Creio que agora seria conveniente eu trocar umas palavras a sós com o dr. Leidner e o dr. Reilly.

Era o sinal para encerrar a reunião. Todo mundo se levantou e saiu da sala. Quando, porém, já me encontrava à soleira da porta, uma voz me chamou.

— Talvez — disse Poirot — a enfermeira Leatheran queira ter a gentileza de nos fazer companhia. Acho que sua assistência seria valiosa.

Tornei a entrar e retomei meu lugar à mesa.

15
Poirot faz uma sugestão

O dr. Reilly permaneceu de pé. Quando todos se retiraram, fechou cuidadosamente a porta. Após, dirigindo um olhar indagador a Poirot, fechou também a janela que dava para o pátio. As outras já estavam trancadas. Só então voltou a sentar à mesa.

— *Bien!* — disse Poirot. — Estamos agora a sós, sem ser importunados. Podemos falar com a máxima franqueza. Nós ouvimos o que os membros da expedição têm a dizer e... Mas sim, *ma soeur*, qual foi a ideia que lhe ocorreu?

Fiquei bem vermelha. Não há que negar que aquele homenzinho esquisito tinha olho vivo. Surpreendera o pensamento que me ocorrera — imagino que meu rosto *tivesse* demonstrado de modo demasiado óbvio o que pensava!

— Oh, não é nada... — respondi, hesitante.

— Ande, enfermeira — insistiu o dr. Reilly. — Não deixe o especialista esperando.

— Não é nada, palavra — apressei-me a repetir. — Só que me passou pela ideia, por assim dizer, que talvez ainda que alguém soubesse ou desconfiasse de qualquer coisa, não seria fácil tocar no assunto na frente de todo mundo... ou, melhor, diante do dr. Leidner.

Para minha completa surpresa, M. Poirot sacudiu a cabeça em veemente aprovação.

— Precisamente. Precisamente. É muito justo o que acaba de dizer. Mas eu explico. Essa pequena reunião que tivemos agora... tinha uma finalidade. Na Inglaterra, antes das corridas, há um desfile de cavalos, não é? Eles passam em frente ao palanque oficial para que todos tenham uma oportunidade de vê-los e avaliá-los. Foi esse o propósito de minha pequena assembleia. Para usar uma frase esportiva, passei os olhos pelos possíveis competidores.

O dr. Leidner protestou com violência.

— Não creio por um segundo que *algum* membro de minha expedição esteja implicado no crime!

Depois, virando-se para mim, declarou autoritário:

— Enfermeira, ficaria muito grato se contasse a M. Poirot, nesse instante, exatamente o que se passou entre minha mulher e a senhora há dois dias.

Premida desse modo, comecei imediatamente minha história, tentando, na medida do possível, reproduzir literalmente as palavras e frases de Mrs. Leidner.

Quando terminei, M. Poirot disse:

— Muito bem. Ótimo. A senhora tem ideias claras e ordenadas. Vai-me ser de grande ajuda aqui.

Virou-se para o dr. Leidner.

— O senhor tem as tais cartas?

— Trouxe-as junto. Julguei que havia de querer vê-las em primeiro lugar.

Poirot tomou-as, leu e examinou-as com todo o cuidado. Fiquei meio decepcionada que não esparramasse pó por cima ou as colocasse sob a lente de um microscópio, ou coisa que o valha — porém compreendi que não era muito moço e que seus métodos não seriam provavelmente o que se podia chamar de modernos. Limitou-se a lê-las da maneira que qualquer pessoa lê uma carta.

Terminado o que, largou-as de lado e pigarreou.

— Agora — disse —, procuremos colocar os fatos em ordem. A primeira dessas cartas foi recebida por sua esposa logo depois que casou com o senhor na América. Antes houve outras mas ela as destruiu. À primeira seguiu-se uma segunda. Pouquíssimo tempo após a chegada dessa segunda, ambos escaparam por um triz de morrer envenenados por gás. O senhor então veio pro estrangeiro e durante quase dois anos não receberam mais cartas. Recomeçaram a surgir no começo desta temporada... o que quer dizer, no período compreendido pelas três últimas semanas. Confere?

— Perfeitamente.

— Sua esposa demonstrou vários sintomas de pânico e, depois de consultar o dr. Reilly, o senhor contratou a enfermeira Leatheran, aqui presente, para fazer companhia a ela e acalmar-lhe os nervos?

— Sim.

— Ocorreram certos incidentes... mãos batendo na janela... um rosto fantasmagórico... ruídos no depósito de antiguidades. Não presenciou nenhum desses fenômenos pessoalmente?

— Não.

— De fato ninguém testemunhou nada, exceto Mrs. Leidner?

— O padre Lavigny enxergou uma luz no depósito de antiguidades.

— Sim, eu não esqueci — conservou-se calado um instante, e depois perguntou: — Sua esposa tinha feito testamento?

— Não creio.

— Por quê?

— Não valia a pena, segundo seu ponto de vista.

— Não é uma mulher rica?

— Sim, enquanto fosse viva. O pai deixou-lhe uma considerável soma de dinheiro em fundo de garantia. Ela não podia mexer no capital. Ao morrer, passaria aos filhos que porventura tivesse... e, na falta de herdeiros, seria doado ao Museu de Pittstown.

Poirot tamborilou na mesa, pensativo.

— Então acho que podemos eliminar um motivo do caso. Compreendem? É a primeira coisa que eu procuro. *Quem lucra com a morte do morto?* Nesse caso, um museu. Se fosse de outra forma, se Mrs. Leidner tivesse morrido intestada mas possuidora de considerável fortuna, imagino que seria interessante colocar em questão quem herdasse o dinheiro... o senhor... ou o ex-marido. Mas haveria outra dificuldade: o ex-marido teria de ressuscitar para reclamar a herança, e calculo que então correria o risco de ser preso, embora seja difícil imaginar que a pena capital fosse aplicada tanto tempo depois da guerra. Em todo caso, não há necessidade de formular essas conjeturas. Como disse, primeiro verifico o problema do dinheiro. A seguir, passo sempre a suspeitar do marido ou da esposa da vítima! Nesse caso, antes de mais nada, ficou provado que o senhor jamais se aproximou do quarto de sua esposa ontem à tarde e, em segundo lugar, só perde, em vez de lucrar, com a morte dela, e em terceiro...

Fez uma pausa.

— Sim? — incentivou o dr. Leidner.

— Em terceiro — acrescentou Poirot lentamente —, acho que sei reconhecer uma autêntica dedicação à primeira vista. Creio, dr. Leidner, que o amor que sentia por sua esposa constituiu a paixão predominante de sua vida. É assim, não?

— Sim — respondeu o dr. Leidner com toda a simplicidade.

Poirot assentiu.

— Portanto — declarou —, vamos adiante.

— Apoiado! Passemos ao que interessa — exclamou o dr. Reilly com certa impaciência.

Poirot lançou-lhe um olhar de recriminação.

— Meu amigo, não seja apressado. Num caso como este, deve-se abordar tudo com ordem e método. De fato, é a regra que observo em cada caso. Tendo eliminado certas possibilidades, aproximamo-nos agora de um ponto importantíssimo. É vital, como vocês dizem... que todas as cartas sejam postas na mesa... não se deve esconder nada.

— Exatamente — concordou o dr. Reilly.

— Por isso exijo a verdade absoluta — prosseguiu Poirot.

O dr. Leidner fitou-o sem entender.

—Asseguro-lhe, M. Poirot, que não escondi coisa alguma. Contei-lhe tudo o que sei. Não guardei a mínima reserva.

— *Tout de même*, não me contou *tudo*.

— De modo nenhum. Não me lembro de qualquer detalhe que me tenha escapado.

Parecia muito aflito.

Poirot sacudiu suavemente a cabeça.

— Não — insistiu. — *O senhor não me contou, por exemplo, por que instalou a enfermeira Leatheran nesta casa.*

O dr. Leidner ficou completamente atônito.

— Mas eu já expliquei. É óbvio. O nervosismo de minha mulher... seus receios...

Poirot inclinou-se para a frente. Devagar e enfaticamente moveu um dedo de um lado para outro.

— Não, não, não. Tem qualquer coisa aqui que não está clara. Sua esposa corre perigo, sim... é ameaçada de morte, sim. O senhor manda chamar... *não a polícia*... nem sequer um detetive particular... mas uma *enfermeira*! Não é lógico!

— Eu... eu... — o dr. Leidner se interrompeu. Um rubor cobriu-lhe o rosto. — Eu pensei...

Parou por completo.

— Agora estamos chegando perto — animou-o Poirot. — Pensou... o quê?

O dr. Leidner continuou calado. Parecia mortificado e relutante.

— O senhor veja — o tom de Poirot tornou-se sedutor e implorante —, tudo o que me contou soa verdadeiro, menos isso. Por que uma *enfermeira*? Existe uma resposta... sim. De fato, só pode haver uma. *O senhor mesmo não acreditou que sua esposa estivesse correndo perigo.*

E então, com um grito, o dr. Leidner se desfez.

— Valha-me Deus — gemeu. — Não acreditei. Não acreditei, não.

Poirot observou-o com o tipo de atenção que um gato dispensa a uma fresta na parede... preparado para dar o bote quando o rato aparecer.

— Que *foi* que pensou, então? — perguntou.

— Não sei. Não sei.

— Sabe sim. Sabe perfeitamente. Talvez eu possa ajudá-lo... com uma suposição. *Dr. Leidner, o senhor suspeitou de que essas cartas foram todas escritas por sua própria esposa?*

Não havia a menor necessidade de que ele respondesse. O acerto da suposição de Poirot era flagrante. A mão horrorizada que ele estendeu, como que pedindo misericórdia, dispensava palavras.

Respirei fundo. Então eu *tinha* razão na minha conjetura malformada! Lembrei-me do estranho tom com que o dr. Leidner perguntava a minha opinião sobre tudo aquilo. Assenti, lenta e pensativa, com a cabeça e de repente percebi os olhos de M. Poirot pousados em mim.

— A senhora também suspeitou, enfermeira?

— A ideia me ocorreu — confirmei, sincera.

— Por que motivo?

Expliquei a semelhança da caligrafia com a carta que Mr. Coleman me mostrara.

Poirot virou-se para o dr. Leidner.

— Tinha também notado essa semelhança?

O dr. Leidner abaixou a cabeça.

— Tinha, sim. O talhe era pequeno e apertado... não grande e generoso como a de Louise mas diversas letras apresentavam as mesmas características. Vou mostrar-lhe.

Tirou do bolso do paletó um punhado de cartas e finalmente escolheu uma folha que entregou a Poirot. Fazia parte de uma que a esposa lhe escrevera. Poirot comparou-a cuidadosamente com as cartas anônimas.

— Sim — murmurou. — Sim. Há várias semelhanças... um jeito curioso de formar o *s*, um *e* muito pessoal. Não sou perito em quirografia... não posso emitir uma opinião abalizada (e, para falar a verdade, nunca encontrei dois especialistas no assunto que concordassem sobre qualquer ponto, fosse qual fosse)... mas pode-se ao menos afirmar o seguinte... a semelhança entre ambas é bem nítida. Parece extremamente provável que todas tivessem sido escritas pela mesma pessoa. Só que não há uma *certeza*. Devemos levar em conta todas as contingências.

Reclinou-se na cadeira e acrescentou pensativo:

— Existem três possibilidades. Primeira, a semelhança da caligrafia é mera coincidência. Segunda, essas ameaças foram escritas pela própria Mrs. Leidner por algum motivo obscuro. Terceira, foram escritas por alguém *que copiou deliberadamente a letra dela*. Por quê? Com que intuito? Uma dessas três hipóteses deve estar certa.

Refletiu um instante e depois, virando-se para o dr. Leidner e reassumindo as maneiras bruscas, perguntou:

— Quando a possibilidade de que a própria Mrs. Leidner fosse a autora dessas cartas lhe ocorreu pela primeira vez, que explicação o senhor encontrou?

O dr. Leidner sacudiu a cabeça.

— Descartei a ideia com a maior rapidez. Achei-a monstruosa.

— Não procurou nenhuma explicação?

— Bem — hesitou —, fiquei pensando se de tanto se preocupar e remoer o passado, não teria, talvez, afetado ligeiramente o juízo de minha mulher. Julguei que ela poderia perfeitamente ter escrito as cartas sem estar consciente do fato. É possível, não? — acrescentou, consultando o dr. Relly.

O médico franziu a boca.

— O cérebro humano é capaz de quase tudo — replicou, de modo vago.

Depois lançou um olhar fulminante a Poirot, que, em obediência ao sinal, desviou o assunto.

— As cartas são um ponto interessante — disse. — Mas devemos nos concentrar no caso em conjunto. A meu ver, há três soluções possíveis.

— Três?

— Sim. Comecemos pela mais simples: o ex-marido de sua esposa continua vivo. Primeiro a ameaça e depois passa a executar o que ameaçou. Aceitando essa solução, o problema é descobrir como conseguiu entrar ou sair sem ser visto. Segunda: Mrs. Leidner, por motivos particulares (e que provavelmente seriam explicados mais facilmente por um médico do que por um leigo), escreve cartas ameaçadoras a si mesma. A história do gás é encenada por ela (lembre-se, foi ela quem o acordou, dizendo que sentira cheiro de gás). Ora, *se a própria Mrs. Leidner escreveu as cartas, não corria perigo proveniente do suposto remetente.* Precisamos, portanto, procurar o assassino em outro lugar. Sim — frisou em resposta a um murmúrio de protesto do dr. Leidner —, é a única conclusão lógica. Para satisfazer um rancor pessoal, um deles a matou. Tal pessoa, posso garantir, estava provavelmente ciente das cartas... ou, de qualquer modo, sabia que Mrs. Leidner temia ou fingia temer alguém. Esse fato, na opinião do assassino, tornava-lhe o crime praticamente impune. Tinha certeza de que seria atribuído a um desconhecido misterioso... o autor das cartas ameaçadoras. Uma variante dessa solução é que o próprio criminoso houvesse escrito as cartas, ciente do passado de Mrs. Leidner. Mas em semelhante hipótese, não fica bem claro *por que* copiaria ele a própria letra de Mrs. Leidner, uma vez que, pelo que se pode deduzir, ser-lhe-ia mais vantajoso darem a impressão de serem escritas por um desconhecido. A terceira solução é a mais interessante a meu ver. Sugiro que as cartas são autênticas. Foram escritas pelo primeiro marido de Mrs. Leidner (ou pelo irmão menor) *que efetivamente faz parte da expedição.*

16
Os suspeitos

O dr. Leidner levantou-se de um pulo.

— Impossível! Absolutamente impossível! A ideia é absurda!

Mr. Poirot ficou olhando com toda a calma mas não disse nada.

— O senhor pensa, por acaso, que se o ex-marido de minha mulher fizesse parte da expedição, *ela não o reconheceria?*

— Exatamente. Reflita um pouco nas circunstâncias. Há quase vinte anos atrás, sua esposa viveu alguns meses com esse homem. Ela o reconheceria se o encontrasse após esse lapso de tempo? Creio que não. O rosto dele, a constituição teriam mudado... a voz talvez nem tanto, mas isso é um detalhe de que ele se encarregaria. E lembre-se de que *ela não estava procurando por ele dentro da própria casa.* Visualiza-o num ponto qualquer *do lado de fora...* um estranho. Não, não creio que o reconheceria. E há uma segunda possibilidade. O irmão caçula... o menino daquela época, que tanto adorava o irmão mais velho. Hoje é adulto. Ela reconheceria um garoto de dez ou 12 anos num homem próximo dos trinta? Sim, existe o jovem William Bosner a ser considerado. Lembrem-se de que, a seus olhos, o irmão talvez não pareça traidor, e sim patriota, mártir da própria pátria... a Alemanha. A seus olhos *Mrs. Leidner* é a traidora... o monstro que causou a morte do irmão idolatrado! Uma criança sensível é capaz de render culto ao grande herói, e uma mentalidade infantil pode facilmente ficar obcecada por uma ideia que persiste até a maioridade.

— Tem razão — concordou o dr. Reilly. — A crença popular de que as crianças esquecem com facilidade não é exata. Muita gente passa a vida inteira dominada por uma ideia inculcada na mais tenra infância.

— *Bien.* Existem duas possibilidades. Frederick Bosner, que agora estaria com mais ou menos cinquenta anos, e William Bosner, cuja idade oscilaria pelos trinta.

Morte na Mesopotâmia

Examinemos os participantes da expedição sob esses dois pontos de vista.

— Isso é fantástico! — murmurou o dr. Leidner. — A minha equipe! Os membros de minha própria expedição.

— E por isso considerados insuspeitos — retrucou Poirot, com ironia. — Um ponto de vista muito útil. *Commençons!* Quem *não* poderia, definitivamente, ser Frederick ou William?

— As mulheres.

— Lógico. Miss Johnson e Mrs. Mercado ficam eliminadas. Quem mais?

— Carey. Ele e eu trabalhamos juntos anos a fio antes de eu ter sequer conhecido Louise...

— E a idade também não coincide. Segundo julgo, deve estar com 38 ou 39, menos que Frederick e mais do que William. Agora quanto aos restantes. Tem o padre Lavigny e Mr. Mercado. Qualquer um dos dois poderia ser Frederick Bosner.

— Mas, meu caro senhor — exclamou o dr. Leidner numa voz em que se misturavam a irritação e o regozijo —, o padre Lavigny é famoso no mundo inteiro como epigrafista e Mercado há anos que trabalha para um desconhecido museu de Nova York. É *impossível* que qualquer um dos dois seja o homem que o senhor supõe!

Poirot acenou delicadamente com a mão.

— Impossível... impossível... eis aí uma palavra que não levo em conta! Sempre examino o impossível bem de perto! Mas, por enquanto, continuemos. Quem mais sobra? Carl Reiter, um rapaz de nome germânico, David Emmott...

— Já passou duas temporadas comigo, lembre-se.

— É um jovem que tem o dom da paciência. *Se* cometesse um crime, não se apressaria. Tudo seria muito bem-preparado.

O dr. Leidner fez um gesto de desespero.

— E, por último, William Coleman — continuou Poirot.

— Ele é inglês.

— *Pourquoi pas?* Mrs. Leidner não disse que o menino deixara a América e nunca mais foi achado? Podia facilmente ter sido criado na Inglaterra.

— O senhor encontra resposta para tudo — retrucou o dr. Leidner.

Fiquei pensando seriamente. Desde o início, a conduta de Mr. Coleman tinha-me parecido mais própria de uma novela de P.G. Wodehouse do que de um rapaz de carne e osso. Estaria realmente interpretando aquele papel o tempo todo?

Poirot tomava anotações num livrinho.

— Procedamos com ordem e método — disse. — Na primeira contagem temos dois nomes. O padre Lavigny e Mr. Mercado. Na segunda, Coleman, Emmott e Reiter.

— Vejamos o aspeto oposto da questão... meios e oportunidade. *Qual dos membros da expedição possuía os meios e a oportunidade de cometer o crime?* Carey estava nas escavações, Coleman em Hassanieh, o senhor no terraço. Restam o padre Lavigny, Mr. Mercado, Mrs. Mercado, David Emmott, Carl Reiter, Miss Johnson e a enfermeira Leatheran.

— Oh! — exclamei, saltando do assento.

Mr. Poirot me fitou com o olhar brilhante.

— Sim, sinto muito, *ma soeur*, mas terá de ser incluída. Ter-lhe-ia sido bem fácil matar Mrs. Leidner enquanto o pátio ficou deserto. A senhora é bem forte e musculosa, e ela não desconfiaria de nada até o momento de receber a pancada.

Fiquei tão transtornada que não consegui emitir uma só palavra. Notei que o dr. Reilly parecia estar achando muita graça.

— Caso interessante de uma enfermeira que assassinava os pacientes um por um — murmurou ele.

Fulminei-o com o olhar!

O pensamento do dr. Leidner tomara rumo diverso.

— Emmott, não, M. Poirot — objetou. — Não pode incluí-lo. Estava comigo no terraço, lembre-se, durante aqueles dez minutos.

— Apesar disso, não podemos excluí-lo. Podia ter descido, dirigindo-se diretamente ao quarto de Mrs. Leidner, assassinando-a, e *depois* chamado o empregado de volta. Ou podia ter cometido o crime numa das ocasiões *em que mandou o menino lá em cima no terraço.*

O dr. Leidner sacudiu a cabeça, murmurando:

— Que pesadelo! É tudo tão... fantástico.

Para meu assombro, Poirot concordou.

— Sim, de fato. *Trata-se de um crime fantástico.* Não é frequente encontrar um desse tipo. Em geral os homicídios são muito sórdidos... muito simples. Este, porém, é fora do comum. Desconfio, dr. Leidner, que sua esposa fosse uma mulher invulgar.

Acertara em cheio com tal exatidão que até me sobressaltei.

— É verdade, enfermeira? — perguntou.

— Conte-lhe como Louise era, enfermeira — pediu o dr. Leidner tranquilamente. — A senhora pode ser imparcial.

Falei com a máxima franqueza.

— Era muito bonita — declarei. — Não se podia deixar de admirá-la e querer fazer coisas para ela. Nunca conheci ninguém assim.

— Obrigado — disse o dr. Leidner e sorriu para mim.

— Eis um testemunho valioso, vindo de uma pessoa estranha — comentou Poirot cortesmente. — Bem, continuemos. Temos sete nomes sob o cabeçalho "meios e oportunidade": a enfermeira Leatheran, Miss Johnson, Mrs. Mercado, Mr. Mercado, Mr. Reiter, Mr. Emmott e o padre Lavigny.

Pigarreou outra vez. Sempre reparei que os estrangeiros são capazes dos ruídos mais extravagantes.

— Suponhamos, provisoriamente, que nossa terceira teoria esteja certa. Isto é, que o assassino seja Frederick ou William Bosner, e que um dos dois faça parte da equipe da expedição. Comparando ambas as listas, podemos reduzir o número de suspeitos para quatro. O padre Lavigny, Mr. Mercado, Carl Reiter e David Emmott.

— O padre Lavigny é inadmissível — afirmou o dr. Leidner. — É um dos *Pères Blancs* de Cartago.

— E sua barba é autêntica — acrescentei.

— *Ma soeur* — replicou Poirot —, todo criminoso de primeira ordem *nunca* usa barba postiça!

— Como sabe que ele é de primeira ordem? — perguntei, com jeito rebelde.

— Porque do contrário a verdade me seria óbvia neste instante... e ela não é.

Convencido, pensei comigo mesma.

— Seja como for — retorqui, voltando à barba —, deve ter levado muito tempo para crescer.

— Eis aí uma observação prática — disse Poirot.

— Mas isso é ridículo. Tanto ele como Mercado são homens famosos. Há anos que são conhecidos.

Poirot virou-se para ele.

— O senhor não distingue bem as coisas. Não avalia um ponto importante. *Se Frederick Bosner não morreu... o que esteve fazendo durante esse tempo todo?* Deve ter adotado um nome falso. Seguido alguma carreira.

— Como *Père Blanc*? — perguntou o dr. Reilly, cético.

— Admito que parece meio absurdo — confessou Poirot. — Mas não podemos descartar a hipótese assim no mais. Aliás, existem outras possibilidades.

— Os rapazes? — retrucou Reilly. — Se quer saber minha opinião, a julgar pelas aparências, só existe um suspeito que é um pouco plausível.

— Qual?

— O jovem Carl Reiter. Não há nenhuma prova contra ele, mas examine bem e terá de reconhecer certas coisas... tem a idade indicada, possui nome alemão, é a primeira vez que vem para cá, e teve a oportunidade, perfeitamente. Bastava-lhe apenas abandonar o posto no departamento de fotografias, cruzar o pátio para efetuar a sórdida façanha e correr de volta, que nem coelho, enquanto não havia perigo à vista. Se uma pessoa entrasse por acaso na sala enquanto estivesse ausente, sempre podia dizer mais tarde que se encontrava no quarto escuro. Não digo que seja quem o senhor procura, mas se pretende suspeitar de alguém, me parece que é, de longe, o mais provável.

M. Poirot não mostrou grande entusiasmo. Assentiu solenemente mas com ar de dúvida.

— Sim — disse. — É o mais provável mas talvez não seja tão simples assim. — Depois propôs: — Não digamos mais nada por enquanto. Gostaria, se possível, de examinar agora o quarto onde ocorreu o crime.

— Certamente — o dr. Leidner remexeu nos bolsos e olhou em seguida para o dr. Reilly.

— O capitão Maitland levou-a — disse.

— Maitland deixou comigo — anunciou Reilly. — Ele teve de ir investigar aquele negócio do Curdistão.

Mostrou a chave.

— Não se importam... se eu não... — hesitou o dr. Leidner. — Quem sabe a enfermeira...

— Naturalmente. Naturalmente — concordou Poirot. — Compreendo perfeitamente. Não desejo causar-lhe uma dor desnecessária. Quer ter a bondade de me acompanhar, *ma soeur*?

— Mas claro — afirmei.

17
A mancha ao pé do lavatório

O corpo de Mrs. Leidner fora removido para Hassanieh para ser procedida a autópsia, mas de resto o quarto continuava exatamente como antes. Continha tão poucas coisas que a polícia não levara muito tempo para fazer a vistoria.

Quando se entrava, à direita estava a cama. Do lado oposto à entrada havia um par de janelas gradeadas que davam para o campo. Entre ambas, uma mesa simples de carvalho, com duas gavetas, servira de toucador para Mrs. Leidner. Na parede leste via-se uma fileira de cabides com vestidos pendurados, protegidos por sacos de algodão, e uma cômoda de pinho. Logo à esquerda da porta ficava o lavatório. O centro do quarto era ocupado por uma mesa tosca de carvalho de bom tamanho, com mata-borrão, tinteiro e uma pequena maleta. Nesta última Mrs. Leidner guardava as cartas anônimas. As cortinas, de tiras curtas de fazenda nativa, eram brancas, listradas de laranja. O chão, de pedra, tinha tapetes de pele de cabra, três estreitos, marrons com listras brancas, na frente das janelas e do lavatório, e um maior, de qualidade superior, branco com listras marrons, que ocupava o espaço entre o leito e a mesa de escrever.

Não havia armários, reentrâncias ou reposteiros compridos — nenhum lugar, mesmo, onde alguém pudesse esconder-se. A cama de ferro era comum, coberta por colcha de algodão estampado. O único traço de luxo eram três travesseiros feitos da pluma mais macia e encapelada. Só Mrs. Leidner possuía travesseiros semelhantes.

Em breves e secas palavras o dr. Reilly explicou onde fora encontrado o corpo de Mrs. Leidner — amontoado sobre o tapete ao pé da cama.

Para ilustrar a descrição, fez sinal para que eu me aproximasse.

— Quer ter a bondade, enfermeira? — pediu.

Não sou fricoteira. Agachei-me no chão e assumi mais ou menos a posição do cadáver de Mrs. Leidner.

— Leidner levantou a cabeça dela quando a encontrou — informou o médico. — Porém interroguei-o minuciosamente e é óbvio que não chegou a mudá-la de posição.

— Parece bem coerente — declarou Poirot. — Ela estava deitada na cama, dormindo ou descansando... alguém abre a porta, ela levanta os olhos, põe-se em pé...

— E ele desfere o golpe — completou o médico. — A pancada provocaria a perda de sentidos, logo seguida pela morte. Como sabe...

Explicou o ferimento em linguagem técnica.

— Quase não houve derramamento de sangue, então? — perguntou Poirot.

— Não, o sangue se espalhou internamente, dentro do cérebro.

— *Eh bien* — disse Poirot —, isso parece bastante coerente... exceto numa coisa. *Se* o homem que entrou era um estranho, por que Mrs. Leidner não chamou logo por socorro? Se gritasse, teria sido ouvida. Pela enfermeira Leatheran, aqui presente, por Emmott e pelo garoto.

— É fácil de responder — retrucou causticamente o dr. Reilly. — *Porque não foi um estranho.*

Poirot assentiu.

— Sim — disse, pensativo. — Talvez ficasse *surpresa* de ver a pessoa... mas não teve *medo*. Depois, ao ser agredida, *talvez* houvesse emitido um ligeiro grito... tarde demais.

— O grito que Miss Johnson ouviu?

— Sim, se *de fato* ela ouviu. Mas, de modo geral, duvido. Estas paredes de barro são grossas e as janelas estavam fechadas.

Aproximou-se da cama.

— A senhora deixou-a realmente deitada? — perguntou-me.

Expliquei exatamente o que eu tinha feito.

— Ela pretendia dormir ou ia ler?

— Dei-lhe dois livros... um leve e um volume de memórias. Geralmente lia um pouco e depois, às vezes, pegava num sono que nunca demorava muito.

— E ela mostrou... como direi?... a disposição habitual?

Fiquei pensando.

— Sim. Parecia bastante normal e bem-disposta — respondi. — Um tanto esquiva, talvez, mas atribuí às confidências que me fizera na véspera. Isso às vezes deixa as pessoas meio constrangidas.

Os olhos de Poirot brilharam.

— Ah, sim, de fato, sei como é.

Passou a vista pelo ambiente.

— E quando entrou aqui depois do crime, encontrou tudo do mesmo jeito anterior?

Também examinei em torno.

— Sim, acho que sim. Não me lembro de ter visto nada fora do lugar.

— Não havia vestígio da arma com que foi abatida?

— Não.

Poirot olhou para o dr. Reilly.

— O que foi, em sua opinião?

— Qualquer coisa bem pesada — respondeu o médico prontamente —, de bom tamanho e sem pontas ou beiradas afiadas. O suporte arredondado de uma estátua, digamos... algo parecido. Repare que não estou sugerindo que *fosse*. Mas esse tipo de coisa. O golpe foi desferido com grande força.

— Por um braço musculoso? Um braço masculino?

— Sim... a menos que...

— A menos que... o quê?

— Talvez seja possível — disse o dr. Reilly lentamente — que Mrs. Leidner estivesse ajoelhada... e no caso, o golpe sendo desferido de cima, com um utensílio pesado, a força necessária não teria sido tão grande.

— *Ajoelhada* — ruminou Poirot. — Eis aí uma ideia.

— É apenas uma ideia, note bem — apressou-se a ressaltar o médico. — Não há absolutamente nada para comprová-la.

— Mas é possível.

— Sim. E afinal, em vista das circunstâncias, nem tão fantástica assim. De medo, talvez se ajoelhasse suplicante em vez de gritar quando o instinto lhe avisou que era tarde demais... que ninguém chegaria a tempo.

— Sim — concordou Poirot pensativo. — É uma ideia.

E muito fraca, a meu ver. Não podia, por um instante sequer, imaginar Mrs. Leidner de joelhos perante alguém.

Poirot começou a caminhar lentamente pelo quarto. Abriu as janelas, experimentou as grades, enfiou a cabeça nelas, e certificou-se de que não havia meio de passar também os ombros.

— As janelas estavam fechadas quando vocês a encontraram — comentou. — Estavam também assim quando a senhora a deixou às 12h45?

— Sim, sempre ficavam fechadas de tarde. Não há gaze para cobri-las como no *living* e na sala de refeições. Ficam fechadas para não entrarem moscas.

— E em todo caso, ninguém poderia entrar por ali — concordou Poirot, pensativo. — E as paredes são sólidas ao máximo... tijolos de barro... e não há alçapões, nem claraboias. Não, só existe uma entrada para este quarto... *pela porta*. E só existe um acesso a esta porta... pelo pátio. E só existe uma entrada pro pátio... *através da arcada*. E do lado de fora da arcada estavam cinco pessoas e todas afirmam a mesma coisa e não creio que estejam mentindo. O assassino estava *aqui*.

Fiquei calada. Tive a mesma sensação de momentos antes, quando todos se achavam encurralados em torno daquela mesa.

Poirot perambulou sem pressa pelo quarto. Pegou uma fotografia em cima da cômoda. Era de um homem idoso de cavanhaque branco. Olhou interrogativamente para mim.

— É o pai de Mrs. Leidner — esclareci. — Foi ela quem me disse.

Tornou a largá-la e examinou de relance os artigos na mesa que servia de toucador — todos de tartaruga comum — simples, mas bons. Olhou uma fila de livros numa prateleira, lendo os títulos em voz alta.

— *Quem eram os gregos? Introdução à relatividade. A vida de Lady Hester Stanhope. O trem de Crewe. A volta a Matusalém. Linda Condon.* Sim, eles nos revelam algo, talvez. Mrs. Leidner não era atrasada. Tinha inteligência.

— Oh! Era uma mulher *inteligentíssima* — afirmei logo. — Muito culta e a par de tudo. Não tinha nada de vulgar.

Sorriu ao olhar para mim.

— Sim — concordou. — Eu já notara.

Passou adiante. Demorou-se um instante ao lado do lavatório, onde havia uma vasta coleção de frascos e cremes de beleza.

Depois, de repente, ajoelhou-se e examinou o tapete.

O dr. Reilly e eu corremos para junto dele. Ele examinava uma pequena mancha marrom escura, quase imperceptível na cor do tapete. De fato, só se percebia ligeiramente onde invadia uma das listras brancas.

— O que é que o senhor acha, doutor? — perguntou ele. — É sangue?

O dr. Reilly se ajoelhou.

— Talvez seja — admitiu. — Posso verificar, se quiser.

— Por favor.

Mr. Poirot examinou a jarra e a bacia. A jarra se achava em pé, ao lado do lavatório. A bacia estava vazia, mas junto do lavatório havia uma lata velha de querosene contendo água suja.

Ele virou-se para mim.

— Lembra-se, enfermeira? Esta jarra se encontrava *fora* ou *dentro* da bacia quando a senhora deixou Mrs. Leidner às 12h45?

— Não tenho certeza — respondi, após certa hesitação. — Dentro, creio eu.

— Ah...

— Mas o senhor compreende — apressei-me a explicar —, digo isso porque geralmente estava. Os garotos deixam nessa posição depois do almoço. Apenas acho que se não estivesse eu teria reparado.

Ele assentiu, compreensivo.

— Sim, entendo. É por causa de seu treinamento hospitalar. Se tudo não estivesse exatamente no mesmo lugar, a senhora teria, quase inconscientemente, procurado arrumar. E depois do crime? Estava tal como agora?

Sacudi a cabeça.

— Na hora não reparei — disse eu. — Só pensei em verificar se havia qualquer recanto onde alguém pudesse esconder-se ou se o assassino esquecera alguma coisa.

— É sangue mesmo — constatou o dr. Reilly, erguendo-se. — Julga importante?

Poirot franziu a testa, perplexo. Ergueu as mãos para o alto, num gesto petulante.

Morte na Mesopotâmia 121

— Não faço ideia. Como hei de saber? Talvez não signifique absolutamente nada. Se eu quisesse, podia dizer que o assassino tocou nela... que havia sangue nas mãos dele... muito pouco, mas sempre sangue... e por isso veio até aqui e lavou-as. Sim, é provável que se tivesse passado assim. Mas não posso tirar conclusões precipitadas e afirmar que *foi* o que aconteceu. Essa mancha talvez não tenha a mínima importância.

— Teria corrido pouquíssimo sangue — disse o dr. Reilly, indeciso. — Não o suficiente para jorrar ou algo parecido. Apenas gotejado de leve do ferimento. Claro que se ele começasse a perfurá-lo...

Senti um calafrio. Imaginei uma cena dantesca. A visão de alguém — talvez aquele simpático rapaz com carinha de porco, encarregado das fotografias, derrubando uma mulher tão linda com uma pancada e depois curvando-se sobre ela, calcando o dedo na ferida, numa pavorosa maneira exultante, com uma expressão, talvez, bem diferente — cheia de fúria e loucura.

O dr. Reilly percebeu meu calafrio.

— Que foi, enfermeira? — perguntou.

— Nada... apenas um arrepio — respondi. — De medo de estar caminhando sobre meu próprio túmulo.

Mr. Poirot virou-se e me olhou.

— Eu sei do que a senhora precisa — disse. — Assim que terminarmos aqui e eu voltar com o doutor para Hassanieh, a senhora irá conosco. A enfermeira Leatheran está convidada pro chá, não é, doutor?

— Com todo o prazer.

— Oh, não, doutor — protestei. — Não posso nem pensar em fazer uma coisa dessas.

M. Poirot me deu um tapinha amistoso no ombro, bem inglês, sem nada de estrangeiro.

— *Ma soeur*, a senhora fará o que lhe dissermos. Aliás, só tenho a lucrar com isso. Há uma série de coisas que quero discutir e não posso abordar aqui, onde se deve manter o decoro. O nosso bom dr. Leidner idolatrava a esposa e está seguro... oh, tão seguro... de que todo mundo sentia o mesmo por ela! O que, na minha opinião, não seria próprio da natureza humana! Não, nós queremos discutir Mrs. Leidner sem... como é que vocês dizem?... sem luvas de pelica? Então está resolvido. Quando terminarmos aqui, levaremos a senhora junto conosco para Hassanieh.

— Eu creio — disse, hesitante —, que, de qualquer modo, devia ir-me embora. É um tanto embaraçoso.

— Não faça nada por uns dois dias — aconselhou o dr. Reilly. — Seja como for, não pode ir antes do enterro.

— Sim, está bem — retruquei. — E suponhamos que eu também seja assassinada, doutor?

Falei isso em tom de brincadeira e o dr. Reilly interpretou da mesma maneira. Penso, até, que estava com algum comentário divertido na ponta da língua.

Mas, para meu assombro, M. Poirot ficou como que pregado no soalho e bateu com as mãos na cabeça.

— Ah! E se isso fosse possível — murmurou. — É um perigo... sim... um grande perigo... e o que se pode fazer? Como impedir que isso aconteça?

— Ora, M. Poirot — disse eu. — Estava apenas brincando! Quem teria interesse em minha morte, eu gostaria de saber?

— Na sua... ou de outra pessoa — respondeu, de um jeito que não me agradou nada. Positivamente tétrico.

— Mas por quê? — insisti.

Então ele olhou bem para mim.

— Eu brinco, Mademoiselle, e acho graça. *Certas coisas, porém, não têm nada de engraçado.* Já aprendi muitas em minha profissão. E uma delas, a mais terrível, é esta: *O crime é um hábito...*

18
Chá em casa do dr. Reilly

Antes de partir, Poirot passou em revista a casa toda e as dependências anexas. Também fez algumas perguntas em segunda mão aos empregados — quer dizer, o dr. Reilly traduzia as perguntas e respostas do inglês para o árabe e vice-versa.

Relacionavam-se, principalmente, com a aparição do desconhecido que Mrs. Leidner e eu tínhamos visto espiando pela janela e com quem o padre Lavigny estivera conversando no dia imediato.

— Acha realmente que o tal sujeito teve qualquer coisa a ver com o crime? — perguntou o dr. Reilly, enquanto sacolejávamos no carro, a caminho de Hassanieh.

— Gosto de obter todas as informações possíveis — foi a resposta de Poirot.

E de fato, isso descrevia seus métodos muito bem. Mais tarde descobri que não havia nada — nenhum fragmento ínfimo de falatório insignificante — que não lhe interessasse. De modo geral os homens não são tão bisbilhoteiros assim.

Devo confessar que adorei a xícara de chá que tomei em casa do dr. Reilly. M. Poirot, segundo percebi, pôs cinco torrões de açúcar na sua.

Mexendo a colher com cuidado, disse:

— E agora podemos conversar, não é mesmo? E chegar a uma conclusão sobre quem seria capaz de ter cometido o crime.

— Lavigny, Mercado, Emmott ou Reiter? — sugeriu o dr. Reilly.

— Não, não... essa era a hipótese número três. Quero me concentrar agora na número dois... deixando de lado toda a questão de um marido ou cunhado misteriosos vindos do passado. Vamos discutir simplesmente quais são os membros da expedição que dispunham dos meios e oportunidade de matar Mrs. Leidner, e quem teria sido capaz de fazer isso.

— Pensei que não houvesse levado essa teoria muito a sério.

— De modo algum. Mas é que eu tenho certos escrúpulos — retrucou Poirot em tom de censura. — Como iria discutir, na presença do dr. Leidner, os motivos capazes de provocar o assassinato da esposa dele por um membro da expedição? Seria uma verdadeira indelicadeza. Tive de manter a ilusão de que a esposa era perfeita e que todo mundo a adorava! Mas naturalmente nunca foi assim. Agora podemos ser brutais e impessoais e dizer o que pensamos. Não precisamos mais levar em contar os sentimentos alheios. E é nisso que a enfermeira Leatheran vai ajudar-nos. Tenho certeza de que é ótima observadora.

— Oh, quanto a isso não garanto — protestei.

O dr. Reilly me passou um prato de pãezinhos frescos — "para se fortalecer", disse. Estavam excelentes.

— Agora vamos — começou Mr. Poirot, de modo simpático e loquaz. — A senhora vai dizer-me, *ma soeur*, exatamente o que cada membro da expedição achava de Mrs. Leidner.

— Faz apenas uma semana que cheguei aqui, Mr. Poirot. — desculpei-me.

— É o suficiente para uma pessoa da sua inteligência. Uma enfermeira aprende rápido as coisas. Tira suas conclusões e se guia por elas. Ande, vamos começar. O padre Lavigny, por exemplo?

— Olhe, no caso dele eu realmente não sei o que dizer. Ele e Mrs. Leidner pareciam gostar de conversar juntos. Mas geralmente falavam francês, que eu não entendo direito, apesar de ter aprendido quando criança, na escola. Tenho ideia de que conversavam principalmente sobre livros.

— Eram, por assim dizer, muito dados... é?

— Bem, sim, creio que se pode dizer que eram. Mas, mesmo assim, eu acho que o padre Lavigny sentia-se confuso com ela e... bem... quase aborrecido por causa disso, se é que o senhor me entende.

E contei-lhe a conversa que havíamos tido nas escavações naquele primeiro dia, quando ele chamara Mrs. Leidner de "mulher perigosa".

— Que coisa mais interessante — comentou Mr. Poirot. — E ela... que impressão julga que tivesse dele?

— É também bastante difícil de dizer. Não era fácil saber o que Mrs. Leidner pensava dos outros. Às vezes, calculo, *ele* deixava *ela* confusa. Lembro de tê-la ouvido falar pro dr. Leidner que ele não se parecia com nenhum padre que já tivesse conhecido.

— Podem encomendar a forca pro padre Lavigny — disse o dr. Reilly em tom de pilhéria.

— Meu caro amigo — retrucou Poirot. — Não tem, por acaso, algum paciente à sua espera? Não quero por nada deste mundo desviá-lo de seus deveres profissionais.

— Tenho um hospital cheio deles — afirmou o dr. Reilly. E dizendo que para bom entendedor meia palavra basta, levantou-se e foi embora rindo.

— Melhorou muito — disse Poirot. — Agora podemos manter uma conversa interessante *tête-à-tête*. Mas não pare de comer por minha causa.

Alcançou-me um prato de sanduíches e ofereceu uma segunda xícara de chá. Realmente tinha maneiras extremamente simpáticas e atenciosas.

— E agora, continuemos com suas impressões. Quem, a seu ver, *não* gostava de Mrs. Leidner?

— Olhe, trata-se de uma opinião pessoal e não quero que ninguém fique sabendo que eu falei isso.

— Naturalmente que não.

— Pois eu acho que Mrs. Mercado praticamente a odiava!

— Ah! E Mr. Mercado?

— Tinha certa fraqueza por ela. Creio que nenhuma mulher, com exceção da esposa, jamais se interessou muito por ele. E Mrs. Leidner possuía uma maneira cativante de se interessar pelos outros e pelas coisas que ele contava. Tenho a impressão de que isso subiu um pouco à cabeça do coitado.

— E Mrs. Mercado... não gostou da história?

— Ficou simplesmente morta de ciúmes... é a pura verdade. Precisa-se tomar muita cautela quando há um casal por perto, não há que negar. Podia contar-lhe certas coisas surpreendentes. Não faz ideia das coisas extraordinárias que as mulheres metem na cabeça quando se trata de seus maridos.

— Não duvido da veracidade do que está dizendo. Com que então Mrs. Mercado ficou ciumenta? E odiava Mrs. Leidner?

— Vi um olhar que lhe deu que até parecia que estivesse com vontade de matá-la... puxa, credo! — estaquei. — Francamente, Mr. Poirot, eu não pretendia... quero dizer, nem por um instante...

— Não, não. Compreendo perfeitamente. A frase lhe escapou. Muito a propósito, por sinal. E Mrs. Leidner, andava preocupada com essa animosidade de Mrs. Mercado?

— Olhe — respondi, refletindo um pouco —, de fato não creio que andasse, de jeito nenhum. Para falar a verdade, nem mesmo sei se chegou a perceber. Uma vez pensei em lhe dar a entender... mas terminei desistindo. Em boca fechada não entra mosca. É o que sempre digo.

— E tem toda a razão. Pode dar-me alguns exemplos da maneira de Mrs. Mercado demonstrar o que sentia?

Contei-lhe nossa conversa no terraço.

— Quer dizer que ela mencionou o primeiro casamento de Mrs. Leidner — comentou Poirot, pensativo. — Não se lembra se... ao mencioná-lo... ela olhou pra senhora como se estivesse tentando ver se já ouvira uma versão diferente?

— Crê que talvez soubesse a verdade sobre o caso?

— É uma possibilidade. Podia ter escrito as tais cartas... e arranjado a mão que batesse na janela e todo o resto.

— Também me ocorreu mais ou menos a mesma ideia. Parecia-me o tipo de vingança mesquinha que lhe seria bem própria.

— Sim. Um traço de maldade, eu diria. Mas dificilmente o temperamento necessário para um brutal assassinato a sangue-frio, a não ser, claro, que... — fez uma pausa e depois acrescentou: — É estranha aquela coisa curiosa que ela disse: "Pensa que não sei o que você veio fazer aqui?" Que pretendia insinuar com isso?

— Não tenho a mínima ideia — respondi com sinceridade.

— Ela julgava que a senhora tivesse vindo por algum motivo oculto, além do manifesto. Qual seria? E por que estaria tão interessada no assunto? Esquisito, também, o jeito com que disse que ela lhe ficou olhando durante todo o chá no dia de sua chegada.

— Ora, ela não é uma mulher de classe, M. Poirot — expliquei, toda afetada.

— Isso, *ma soeur*, pode ser uma desculpa, mas não é uma explicação.

Por um instante fiquei em dúvida sobre o que ele queria dizer com aquilo. Mas não me deu muito tempo para pensar. Logo perguntou:

— E os outros participantes do grupo?

Ponderei.

— Não creio que Miss Johnson simpatizasse com Mrs. Leidner. Porém sempre foi completamente franca e honesta a respeito. Era a primeira a confessar que tinha prevenção contra ela. O senhor compreende, sendo extremamente devotada ao dr. Leidner e trabalhando há anos com ele. E é evidente que o casamento altera as coisas... não há como negar.

— Sim — concordou Poirot. — E, segundo o ponto de vista de Miss Johnson, seria um casamento inconveniente. O que já não aconteceria se o dr. Leidner casasse com *ela*.

— De fato — apoiei. — Mas os homens são mesmo assim. Apenas uma minoria sabe o que lhe convém. E não se pode realmente culpar o dr. Leidner. Miss Johnson, coitada, não é nenhuma beldade. Ao passo que Mrs. Leidner era uma autêntica maravilha... não jovem, naturalmente... mas, oh! Gostaria que a tivesse conhecido. Possuía algo especial... lembro que Mr. Coleman disse que ela era que nem um troço que atrai a gente aos pântanos. Não foi uma maneira muito elegante de defini-la, porém... oh, paciência... o senhor vai rir de mim, mas *havia* qualquer coisa nela que era... bem... sobrenatural.

— Ela enfeitiçava as pessoas... sim, compreendo — afirmou Poirot.

— Depois, não creio tampouco que ela e Mr. Carey se entendessem lá muito bem — continuei. — Tenho a impressão de que *ele* sentia ciúme idêntico ao de Miss Johnson. Andava sempre muito empertigado com ela, que retribuía da mesma maneira. Sabe como é... passava-lhe coisas, cheia de mesuras, tratando-o de Mr. Carey, com excesso de formalidade. Ele era velho amigo do dr. Leidner, lógico, e certas mulheres não suportam as antigas amizades dos maridos. Não gostam de pensar que alguém os conheceu muito antes do que elas... não sei, é um modo um tanto confuso de explicar uma situação dessas...

— Entendo perfeitamente. E os três rapazes? Coleman, a senhora diz, era propenso a se mostrar poético a respeito de Mrs. Leidner.

Não pude evitar uma gargalhada.

— Era gozado, M. Poirot — disse eu. — Ele é um jovem tão prosaico.

— E os outros dois?

— Não conheço Mr. Emmott muito bem. Anda sempre tão quieto, quase nunca abre a boca. Ela era muito atenciosa com ele. Sabe como é... camarada... chamava-o de David, mexendo com ele por causa de Miss Reilly e coisas assim.

— Ah, é? E ele gostava disso?

— Não sei, não — respondi, hesitante. — Ficava só olhando para ela. De um jeito até cômico. Não dava para saber o que estava pensando.

— E Mr. Reiter?

— Nem sempre era gentil com ele — disse eu, devagar. — Acho que a irritava. Ela costumava dirigir-lhe sarcasmos.

— E ele, se incomodava?

Morte na Mesopotâmia 129

— Ficava todo corado, pobrezinho. Claro que ela não *pretendia* ser grosseira.

Foi então que, de repente, ao sentir certa pena do rapaz, me ocorreu que se assemelhava muito a um assassino de sangue-frio e que estivera representando um papel o tempo todo.

— Oh, M. Poirot — exclamei. — O que é que o senhor julga que *realmente* aconteceu?

Ele sacudiu lentamente a cabeça, de um jeito pensativo.

— Diga-me uma coisa. A senhora não tem medo de voltar lá esta noite?

— Oh, *não* — afirmei. — Naturalmente, eu me lembro do que o senhor disse, mas quem pensaria em *me* matar?

— Creio que ninguém — respondeu, hesitante. — Foi em parte por isso que fiquei tão curioso em ouvir tudo o que a senhora me podia contar. Não, eu acho... tenho certeza... que não corre nenhum perigo.

— Se alguém me tivesse dito em Bagdá... — comecei e parei.

— Soube de algum boato a respeito dos Leidner e da expedição antes de vir para cá?

Contei-lhe sobre o apelido de Mrs. Leidner e, até certo ponto, os comentários de Mrs. Kelsey a seu respeito.

Quando eu estava no meio, a porta se abriu e Miss Reilly entrou. Tinha estado jogando tênis e trazia a raquete na mão.

Deduzi que Poirot já a encontrara ao chegar em Hassanieh.

Ela me cumprimentou com aquele modo habitual e pegou um sanduíche.

— Então, M. Poirot — disse. — Como está se saindo com o nosso mistério local?

— Não muito bem, Mademoiselle.

— Pelo que vejo, salvou a enfermeira do naufrágio.

— A enfermeira Leatheran esteve-me prestando informações valiosas sobre os vários membros da expedição. Ao mesmo tempo fiquei sabendo de uma porção de coisas...

a respeito da vítima. E a vítima, Mademoiselle, em geral fornece a pista do mistério.

— O senhor é muito perspicaz, M. Poirot — observou Miss Reilly. Não resta dúvida de que se uma mulher algum dia mereceu ser assassinada foi bem Mrs. Leidner!

— Miss Reilly! — exclamei, escandalizada.

Ela soltou uma gargalhada, rápida e maldosa.

— Ah! — disse. — Bem que me parecia que o senhor ainda não ouviu a verdade. Creio que a enfermeira Leatheran, como tanta gente aliás, foi lograda. Sabe, M. Poirot, eu até espero que este caso não lhe traga êxito. Eu gostaria mesmo que o assassino de Louise Leidner ficasse impune. Para ser sincera, não me incomodaria se tivesse de liquidá-la pessoalmente.

Senti-me simplesmente revoltada com a moça. M. Poirot, é preciso que se diga, não se deu por achado. Limitou-se a fazer uma reverência e declarar, com a máxima simpatia:

— Espero, então, que tenha um álibi para ontem à tarde.

Houve um momento de silêncio e a raquete de Miss Reilly se estatelou no chão. Não se preocupou em apanhá-la. Lerda e descuidada como todas do seu tipo!

— Oh, sim — respondeu numa voz meio ofegante —, estive jogando tênis no clube. Mas, seriamente, M. Poirot, gostaria de saber se conhece de fato alguma coisa a respeito de Mrs. Leidner e que tipo de mulher ela era.

Ele novamente fez uma pequena reverência engraçada.

— Mademoiselle há de me informar — disse.

Depois de hesitar um instante, Miss Reilly começou a falar com uma impiedade e falta de decência que realmente me enojaram.

— Há uma convenção que proíbe a gente de falar mal dos mortos. Acho ridículo. A verdade é sempre a verdade. De modo geral, é melhor conservar a boca calada sobre as pessoas vivas. Pode-se até prejudicá-las. Os mortos não correm esse risco. Mas o dano que causaram às vezes perdura após a morte. Não é bem uma citação de Shakespeare, mas podia ser! A enfermeira não lhe contou sobre a atmosfera esquisita que havia em Tell Yarimjah? Não lhe disse como todos andavam inquietos? E como se entreolhavam feito inimigos? Tudo por obra de Louise Leidner. Há três anos, quando eu não passava de uma criança, era o grupo mais feliz e alegre que se possa imaginar. Ainda na temporada passada, viviam na mais perfeita harmonia. Desta vez, porém, caiu uma praga em cima deles... e por culpa *dela*. Era o tipo da criatura que não pode ver ninguém contente! *Existem* mulheres assim, tal como ela! Sempre querendo destruir tudo. Só para se divertir... pela sensação de poder... ou talvez só por ser próprio de sua natureza. E era o tipo da mulher que tem de agarrar todo macho a seu alcance!

— Miss Reilly! — exclamei —, não acho que isso seja verdade. *Sei* perfeitamente que não é.

Ela continuou sem dar a mínima confiança.

— Não se contentava com a adoração do marido. Precisava fazer de bobo aquele idiota pernilongo e trôpego do Mercado. Depois passou a perseguir Bill. Bill é um sujeito sensato mas já estava ficando todo tonto e atrapalhado. Carl Reiter, ela se divertia em atormentar. Foi fácil. É um rapaz sensível. E com David ela pintou o diabo. David era um adversário à altura, porque sabe defender-se. Sentiu o encanto que ela possuía... mas nem quis saber de nada. Acho que foi porque teve juízo suficiente para perceber que ela não estava nem um pouco interessada. E é por isso que eu a odeio tanto. Não era sensual. Não queria ter *casos*. Era apenas uma experiência desalmada da parte dela e o prazer de provocar as pessoas, lançando umas contra as outras. Dedicava-se a isso, também. Era o tipo da mulher que nunca brigou com ninguém em sua vida... mas que sempre vive rodeada de brigas! Ela as *propiciava*. Era uma espécie de Iago de saias. *Precisava* ter dramas à sua volta. Só que não queria ver-se envolvida *pessoalmente*. Fica sempre de fora, mexendo os pauzinhos... assistindo... apreciando. Oh, será que o senhor compreende o que eu quero dizer?

— Compreendo, talvez mais do que Mademoiselle supõe — retrucou Poirot.

Não pude atinar com o tom de sua voz. Não parecia indignado. Dir-se-ia... oh, sei lá, não dá para explicar.

Sheila Reilly, pelo jeito, compreendeu, porque ficou toda vermelha.

— Pense o que bem entender — replicou. — Mas tenho razão a respeito dela. Era uma espertalhona, sentia-se entediada e fazia experiências... com os outros... como muita gente faz com produtos químicos. Comprazia-se em brincar com os sentimentos da pobre velha Johnson, vendo-a se defender como podia e se controlar como a boa alma que é. Gostava de incomodar a pequena Mercado até transformá-la numa fúria incandescente. Gostava de *me* ferir nos pontos sensíveis... e sempre conseguia, todas as vezes. Gostava de descobrir coisas sobre as pessoas e torturá-las com isso. Oh, não me refiro a chantagens baratas... me refiro a deixar apenas que soubessem que *ela* sabia... e na incerteza do que tencionava fazer a respeito. Meu Deus, aquela mulher era uma artista! Os métodos que usava não tinham nada de grosseiros!

— E o marido? — perguntou Poirot.

— Ela nunca quis magoá-lo — respondeu Miss Reilly, vacilante. — Sempre se mostrou muito carinhosa com ele. Ele é um encanto... perdido em seu próprio mundo... suas escavações e teorias. E a idolatrava, julgando-a a perfeição personificada. Isso podia aborrecer certas mulheres. Mas não ela. Sob determinado aspecto, ele vivia numa felicidade ilusória... e que entretanto não o era, pois para ele ela era tal como a imaginava. Embora seja difícil conciliar isso com...

Interrompeu a frase.

— Continue, Mademoiselle — pediu Poirot.

Ela se virou subitamente para mim.

— Que foi que você lhe disse sobre Richard Carey?

— Sobre Mr. Carey? — estranhei, atônita.

— Sobre ela e Carey.

— Bom — respondi —, eu disse que não se entendiam muito bem...

Para minha surpresa, ela teve um ataque de riso.

— Não se entendiam muito bem! Sua tola! Ele estava perdidamente apaixonado por ela. E está ficando em frangalhos... porque adora Leidner, também. Há anos que é amigo dele. Isso para ela é o que bastava, lógico. Tratou de se meter entre os dois. Mas mesmo assim tive a impressão...

— *Eh bien*?

Franziu a testa, absorta em raciocínio.

— Tive a impressão de que desta vez ela fora longe demais... que não só ferira como também ficara ferida! Carey é bonito. Bonito como o diabo. Ela era um monstro de frieza... mas creio que talvez a perdesse com ele.

— Acho simplesmente escandaloso o que você está dizendo! — exclamei. — Ora, eles mal se falavam.

Virou-se para mim.

— Ah, é? Você sabe grande coisa mesmo. Em casa era "Mr. Carey" para cá e "Mrs. Leidner" para lá, porém costumavam encontrar-se do lado de fora. Ela percorria a senda até o rio. E ele deixava as escavações durante uma hora, em média. Se encontravam entre as árvores. Uma ocasião vi quando se despediu dela, voltando a passos largos pro trabalho, e ela ficou olhando para ele. Creio que me portei como uma víbora. Estava de binóculos, usei-os e examinei bem a cara dela. Se querem saber minha opinião, acredito que estava profundamente interessada em Richard Carey.

De repente parou e olhou para Poirot.

— Desculpe eu me intrometer no seu caso — disse, com um sorriso súbito, meio forçado —, mas julguei que o senhor gostaria de conhecer exatamente a cor local.

E retirou-se da sala.

— M. Poirot — exclamei —, eu não acredito numa só palavra de tudo isso!

Ele olhou para mim, sorriu e disse (de um jeito esquisitíssimo, a meu ver):

— Não se pode negar, enfermeira, que Miss Reilly lançou uma certa... luz sobre o caso.

19
Uma nova desconfiança

Naquele momento não foi possível continuar a conversa porque o dr. Reilly entrou gracejando, dizendo que acabara de liquidar o mais irritante de seus pacientes.

Ele e M. Poirot se dedicaram, então, a uma discussão mais ou menos clínica da psicologia e do estado mental de um autor de cartas anônimas. O médico citou casos que conhecera profissionalmente, e M. Poirot contou várias histórias de sua própria experiência.

— Não é tão simples quanto parece — concluiu. — Há o desejo de poder e muitas vezes um forte complexo de inferioridade.

O dr. Reilly concordou.

— É por isso que via de regra se descobre que o autor de cartas anônimas é a última pessoa de quem se desconfia. Algum pobre diabo sossegado, inofensivo, aparentemente incapaz de matar uma barata... cheio de docilidade e resignação cristã por fora... e fervendo com toda a fúria do inferno por dentro!

— Você diria que Mrs. Leidner tinha alguma tendência a complexos de inferioridade? — perguntou Poirot, pensativo.

O dr. Reilly limpou o cachimbo, reprimindo o riso.

— Seria a última mulher deste mundo que eu descreveria desse jeito. Nada de recalques com ela. Vida, vida, e mais vida... isso é o que ela queria... e conseguia, aliás!

— Considera possível, psicologicamente falando, que escrevesse as tais cartas?

— Considero, sim. Mas se escreveu, foi levada pelo seu instinto de dramatizar tudo. Mrs. Leidner era um pouco artista de cinema na vida privada! *Tinha* de ser o centro das atrações... ficar em evidência. Pela lei dos contrastes, casou com Leidner, que é praticamente o sujeito mais retraído e modesto que eu conheço. Ele a adorava... mas ser adorada ao pé da lareira não lhe bastava. Precisava também ser a heroína perseguida.

— Em suma — disse Poirot, sorrindo —, você não concorda com a teoria dele de que ela as escreveu e não guardou nenhuma lembrança de seu ato?

— Não, não concordo. Não rejeitei a ideia na frente dele. Como é que a gente vai dizer para um homem que acaba de perder a esposa que tanto amava que essa mesma esposa era uma exibicionista descarada e que o deixou quase maluco de angústia só para satisfazer seu gosto pela tragédia? Para ser franco, não seria aconselhável revelar a nenhum marido a verdade a respeito da esposa! Por incrível que pareça, eu confiaria à maioria das mulheres a verdade a respeito de seus maridos. As mulheres são capazes de aceitar que um homem seja canalha, vigarista, viciado em narcóticos, incorrigível mentiroso e rematado patife, sem pestanejar e sem qualquer espécie de prejuízo na afeição que sentem pelo animal! As mulheres são maravilhosas realistas.

— Sinceramente, dr. Reilly, qual *é* a opinião exata que tinha de Mrs. Leidner?

O médico recostou-se na cadeira e tirou uma lenta baforada do cachimbo.

— Sinceramente? É difícil dizer! Não a conheci suficientemente bem. Ela possuía encanto... de toda espécie. Inteligência, simpatia. Que mais? Não tinha nenhum dos desagradáveis vícios comuns. Não era sensual, nem preguiçosa ou especialmente vaidosa. Sempre me pareceu que fosse (embora eu não disponha de provas) uma mentirosa consumada. O que não sei (e gostaria de saber) é se mentia para si mesma ou só pros outros. Tenho certa queda pelos mentirosos. A mulher que não mente revela falta de imaginação e piedade. Não creio que fosse realmente uma caçadora de homens... apenas gostava do esporte de derrubá-los "com arco e flecha". Se tocar nesse assunto com minha filha...

— Já tivemos o prazer — disse Poirot, com leve sorriso.

— Hum — fez o dr. Reilly. — Ela não perdeu tempo! Só calculo como meteu a faca sem dó nem piedade! A nova geração não tem respeito pelos mortos. Pena que toda a juventude seja pedante! Condena a "velha moralidade" e depois procura estabelecer um código ético muito mais duro e inflexível. Se Mrs. Leidner tivesse tido meia dúzia de aventuras, Sheila provavelmente tê-la-ia aprovado por "viver plenamente a vida"... ou "obedecer aos instintos do sangue". O que ela não compreende é que Mrs. Leidner agia de acordo com o tipo... o tipo *dela*. O gato, quando brinca com o rato, *obedece* a um instinto do sangue! A natureza é assim mesmo. Os homens não são meninos que precisem de amparo e proteção. Têm de encontrar mulheres felinas... e mulheres que mais parecem cachorrinhas fiéis, do gênero "eu te adoro até a morte", e mulheres implicantes que se assemelham a pássaros ou galinhas que vivem a dar bicadas... de tudo o que é espécie! A vida é um campo de batalha... não um piquenique! Gostaria de que Sheila fosse bastante honesta para descer do pedestal e admitir que odiava Mrs. Leidner por motivos pura e exclusivamente pessoais. Ela é, por assim dizer, a única moça deste lugar e naturalmente presume que não devia ter concorrência no meio da rapaziada. Lógico que se aborrece quando uma mulher, que na opinião dela é de meia-idade e já foi casada duas vezes, entra em cena e a derrota em seu próprio terreno. Sheila é boa menina, saudável e razoavelmente bonita e atraente ao sexo oposto, tal como deve ser. Mas Mrs. Leidner era algo fora do comum nesse sentido. Ela simplesmente possuía aquele tipo de magia calamitosa que pinta o diabo com os outros... uma espécie de *Belle Dame sans Merci*.

Dei um pulo na cadeira. Que coincidência ele dizer isso!

— Sua filha... estarei sendo indiscreto?... não terá, talvez, uma *tendresse* por um dos rapazes que moram lá?

Morte na Mesopotâmia 137

— Oh, não creio. Já teve Emmott e Coleman como parceiros de baile, o que era de esperar. Não sei se liga mais para um do que pro outro. Há dois camaradas jovens da Força Aérea, também. Imagino que por enquanto tudo o que cair na rede dela é peixe. Não, eu acho que o que a deixa furiosa é a idade ousando desafiar a mocidade! Ela não conhece o mundo tão bem quanto eu. É quando se chega à minha idade que realmente se aprecia uma pele de adolescente e um olhar límpido e um corpo jovem, de carnes sólidas. Mas uma mulher de mais de trinta anos sabe escutar com atenção embevecida e entremear de pequenos elogios que mostram a quem fala o magnífico sujeito que ele é... e poucos rapazes resistem a uma coisa dessas! Sheila é uma garota bonita... porém, Louise Leidner era uma verdadeira beleza. Olhos gloriosos e aquela assombrosa alvura dourada. Sim, uma maravilha de mulher.

Sim, pensei comigo mesma, *ele tem razão. A beleza é uma coisa maravilhosa.* Ela *tinha* sido bela. Não era o gênero de beleza que provoca ciúmes — a gente apenas levava o impacto e ficava admirando. Naquele primeiro dia que a vi, senti que seria capaz de fazer *tudo* por Mrs. Leidner!

Mesmo assim, à noite, ao regressar de carro para Tell Yarimjah (o dr. Reilly me forçara a ficar para o jantar), me acudiram à memória uma ou duas coisas que me deixaram um pouco contrafeita. Na hora eu não acreditara numa só palavra do desabafo de Sheila Reilly. Atribuíra a puro despeito e malícia.

Mas agora, de repente, me lembrava do jeito que Mrs. Leidner insistira em ir passear sozinha aquela tarde, recusando terminantemente a minha companhia. Não pude deixar de imaginar se talvez, afinal de contas, não fora encontrar-se com Mr. Carey. E, naturalmente, *era* um pouco esquisito, de fato, o modo tão formal com que os dois se tratavam. Quase todos os outros se chamavam pelos nomes de batismo.

Lembrei-me de que ele parecia nunca olhar para ela. Talvez fosse porque lhe inspirasse antipatia — mas podia também ser o contrário.

Dei uma pequena sacudida em mim mesma. Lá estava eu imaginando e fantasiando tudo o que é espécie de coisas — só por causa das explosões despeitadas de uma garota! Isso prova o quanto pode ser cruel e perigoso andar por aí falando desse jeito.

Mrs. Leidner *não tinha*, de modo algum, sido assim.

Claro que *não* gostava de Sheila Reilly. Mostrara-se, realmente... quase felina a respeito dela naquele dia com Mr. Emmott à hora do almoço.

Engraçado, o jeito com que ele olhara para ela. O tipo do jeito que não se podia, de modo nenhum, adivinhar o que estava pensando. Aliás, adivinhar os pensamentos de Mr. Emmott era praticamente impossível. Vivia sempre tão calado. Porém muito simpático. Uma pessoa boa, digna de confiança.

Agora, Mr. Coleman era um perfeito idiota, como nunca se viu igual!

Eu havia atingido esse ponto de minhas cogitações quando chegamos. Eram apenas nove horas e a porta grande já estava fechada e gradeada.

Ibrahim veio correndo com a chave para me deixar entrar.

Nós todos nos recolhíamos cedo em Tell Yarimjah. Não vi nenhuma luz acesa no *living*. A sala de desenho estava iluminada e o escritório do dr. Leidner também, mas quase todas as outras janelas estavam escuras. Todo mundo decerto fora dormir mais cedo ainda que de costume.

Ao passar pela sala de desenho a caminho de meu quarto, olhei para dentro. Mr. Carey, em mangas de camisa, trabalhava em sua planta.

Achei que tinha um aspecto tremendamente doentio. Tão tenso e cansado. Senti uma espécie de angústia. Não sei o que havia com Mr. Carey — não era o que ele *dizia*, pois raramente abria a boca para falar — e mesmo assim sobre os assuntos mais triviais, nem tampouco o que *fazia*, que não representava muito — mas, no entanto, simplesmente não se podia deixar de reparar nele, e tudo a seu respeito parecia importar mais do que se se tratasse de outra pessoa qualquer. Ele era *marcante*, se é que entendem o que eu quero dizer.

Ele virou a cabeça e me viu. Tirou o cachimbo da boca e disse:

— Como é enfermeira, voltou de Hassanieh?

— Sim, Mr. Carey. Está fazendo serão? Todo mundo parece que já foi dormir.

— Achei melhor adiantar o trabalho — explicou. — Ando meio atrasado. E amanhã terei de passar a manhã inteira nas escavações. Vamos recomeçar o serviço.

— Já? — perguntei, chocada.

Olhou para mim com um jeito esquisito.

— Creio que é melhor. Sugeri ao Leidner. Ele vai passar quase todo o dia em Hassanieh providenciando coisas. Mas o resto da equipe continuará aqui. A senhora sabe, não é muito fácil ficar sentado, olhando um pro outro, como as coisas andam.

Nesse ponto tinha razão, lógico. Especialmente no estado nervoso e apreensivo em que os membros da expedição se encontravam.

— Bom, naturalmente, de certo modo o senhor tem razão — respondi. — A gente se distrai quando tem o que fazer.

O enterro, eu sabia, estava marcado para dois dias depois.

Ele tornou a se debruçar sobre a planta. Não sei por que mas meu coração simplesmente se apiedou dele. Fiquei certa de que ele não conseguiria dormir nada naquela noite.

— Não quer um sonífero, Mr. Carey? — ofereci, meio hesitante.

Sacudiu a cabeça com um sorriso.

— Vou continuar, enfermeira. Os soníferos deixam a gente mal-acostumado.

— Então boa noite, Mr. Carey — disse. — Se há alguma coisa que eu possa fazer...

— Não creio, obrigado, enfermeira. Boa noite.

— Estou com uma pena tremenda — declarei, suponho que um pouco impulsivamente demais.

— Pena? — parecia surpreso.

— De... de todos. É tudo tão medonho. Mas especialmente do senhor.

— Sou velho amigo de Leidner. Por ela eu não sentia nenhuma amizade especial.

Falava como se efetivamente antipatizasse com ela. Puxa, quem dera que Miss Reilly estivesse ouvindo!

— Bem, boa noite — disse eu, apressando-me a rumar para o meu quarto.

Andei de um lado para outro antes de tirar a roupa. Lavei alguns lenços e um par de luvas de couro e escrevi no meu diário. Olhei rapidamente para fora da porta antes de começar realmente a me preparar para dormir. As luzes da sala de desenho e da ala sul do prédio continuavam acesas.

Imaginei que o dr. Leidner ainda estivesse acordado, trabalhando em seu escritório. Fiquei pensando se não devia ir dar-lhe boa noite. Hesitei — não queria parecer intrometida. Talvez estivesse ocupado e não quisesse ser importunado. Por fim, contudo, uma espécie de inquietação me arrastou por diante. Afinal de contas, não havia mal nenhum. Diria apenas boa noite, perguntando se não precisava de alguma coisa, e viria embora.

Mas o dr. Leidner não estava lá. O escritório estava iluminado mas não havia ninguém, com exceção de Miss Johnson. Abaixara a cabeça sobre a mesa e chorava como se o seu coração fosse arrebentar.

Levei um verdadeiro susto. Era uma mulher tão tranquila, com tanto autodomínio. Dava pena vê-la.

— O que foi que houve, meu bem? — exclamei, passando-lhe o braço pelos ombros e acariciando-a de leve.

— Ora, ora, isso assim não pode ser. Você não deve ficar aqui, chorando sozinha.

Não me respondeu e eu senti os terríveis soluços que a sacudiam com violência.

Morte na Mesopotâmia 141

— Não faça assim, minha querida. Procure controlar-se. Vou fazer uma boa xícara de chá quente para você.

Ela ergueu a cabeça e disse:

— Não, não, não é preciso, enfermeira. Estou-me portando feito boba.

— O que foi que a afligiu, meu bem? — perguntei.

Não respondeu imediatamente. Depois disse:

— Tudo é tão horrível.

— Vamos, não pense nisso — recomendei. — O que passou, passou, não tem mais remédio. Não adianta amofinar-se.

Ela endireitou o corpo e começou a arrumar o cabelo.

— Estou fazendo papel de idiota — desculpou-se com aquela voz rouca. — Andei limpando e arrumando o escritório. Pensei que seria melhor *fazer* alguma coisa. E depois... tudo me ocorreu de repente...

— Sim, sim — apressei-me a dizer. — Eu sei. Uma boa xícara de chá bem forte e uma bolsa de água quente na cama é o de que você precisa.

E sem dar ouvidos a seus protestos, providenciei tudo.

— Obrigada, enfermeira — agradeceu, já instalada na cama, enquanto tomava o chá e eu enfiava a bolsa de água quente entre as cobertas. — Você é uma criatura muito boa e sensata. Não é sempre que costumo fazer papel de boba.

— Oh, qualquer pessoa está exposta a fazer o mesmo numa ocasião como esta, ainda mais depois de tudo o que aconteceu. A tensão, o choque e a polícia por todos os cantos. Ora, até eu já ando meio nervosa.

— Você disse uma coisa que é bem verdade — retrucou hesitante, num tom meio esquisito. — O que passou, passou, e não pode ser remediado —, ficou calada um instante e depois acrescentou, de um modo bastante estranho a meu ver: — Ela nunca foi boa!

Ora, eu é que não me ia meter a discutir. Sempre considerei perfeitamente natural que Miss Johnson e Mrs. Leidner não fossem uma com a cara da outra.

Me pus a imaginar se, quem sabe, Miss Johnson não tivera uma secreta sensação de alegria com a morte de Mrs. Leidner e agora se envergonhava por ter pensado nisso.

—Vamos, trate de dormir e não se preocupe mais — aconselhei.

Só juntei umas coisas, procurando deixar o quarto em ordem. Meias sobre o encosto da cadeira, casaco e saia num cabide. Havia uma bolinha de papel amarrotado no chão que devia ter caído de algum bolso.

Eu estava apenas alisando-a para ver se podia jogar fora sem problema quando ela me pregou um susto.

— *Me dê* isso aí?

Obedeci — um pouco sem jeito. Tinha gritado de modo tão peremptório. Arrancou — literalmente arrancou — o papel das minhas mãos e depois segurou-o na chama da vela até que queimasse e se reduzisse a cinzas.

Como disse, levei um susto — e fiquei simplesmente olhando para ela.

Não tive tempo de ver que papel era — ela o arrancara com tamanha rapidez. Mas, por incrível que pareça, enquanto ardia, encrespou-se na minha direção e apenas vi que continha palavras escritas a tinta.

Foi só quando deitei que compreendi por que me haviam parecido mais ou menos familiares.

Era a mesma caligrafia das tais cartas anônimas.

Seria por *isso* que Miss Johnson se entregara a uma crise de remorso? Teria sido então ela quem escrevera aquelas cartas?

20
Miss Johnson, Mrs. Mercado, Mr. Reiter

Não me importo de confessar que a ideia me causou um verdadeiro choque. Jamais pensara em ligar Miss Johnson com as cartas. Mrs. Mercado, talvez. Mas Miss

Johnson era uma verdadeira dama, tão cheia de autodomínio e sensatez.

Porém refleti, recordando a conversa que escutara aquela noite entre M. Poirot e o dr. Reilly, que isso bem podia ser o *motivo*.

Se fosse Miss Johnson quem escrevera as cartas, muita coisa ficava explicada. Note-se que não supus por um instante que ela tivesse algo a ver com o crime. Mas *percebi* que sua antipatia por Mrs. Leidner talvez a levasse a sucumbir à tentação de, bem... meter medo nela — para usar uma expressão vulgar.

Podia alimentar a esperança de afastar, de susto, Mrs. Leidner das escavações.

Só que depois Mrs. Leidner fora assassinada e Miss Johnson sentira terríveis crises de remorso — em primeiro lugar pela artimanha cruel a que recorrera e também, talvez, por compreender que as tais cartas estavam funcionando como excelente escudo para o verdadeiro criminoso. Não é de admirar que ficasse tão literalmente arrasada. Eu tinha certeza de que, no fundo, era uma pessoa decente. E assim se explicava, ademais, por que se apegara com tanta veemência à minha consolação de "o que passou, passou, e não pode ser remediado".

E finalmente aquela declaração enigmática — autêntica justificação de si mesma — "ela nunca foi boa!".

O problema era, que atitude devia *eu* adotar?

Revirei-me de um lado para outro durante um bom tempo e afinal resolvi comunicar tudo a M. Poirot na primeira oportunidade.

Ele apareceu no dia seguinte mas não encontrei ocasião de lhe falar propriamente a sós.

Tivemos apenas um minuto de total isolamento e antes que eu pudesse concentrar-me para saber como ia tocar no assunto, ele se aproximou de mim e começou a murmurar instruções no meu ouvido.

— Eu vou falar com Miss Johnson... e com os outros, talvez, no *living*. A chave do quarto de Mrs. Leidner ainda está com a senhora?

— Está — respondi.

— *Très bien*. Vá até lá, feche a porta por dentro e dê um grito... não um berro... um grito. Compreende o que quero dizer, não? De susto... quero que exprima surpresa... não terror desvairado. Quanto ao pretexto, caso for ouvida... deixo por sua conta... o dedo do pé pisado ou o que bem entender.

Nesse momento Miss Johnson apareceu no pátio e não houve mais tempo para nada.

Compreendi perfeitamente o que M. Poirot pretendia. Assim que ele e Miss Johnson foram para o *living*, dirigi-me ao quarto de Mrs. Leidner e, abrindo a porta com a chave, entrei e tornei a fechá-la.

Não posso negar que me senti meio idiota, ali parada num quarto vazio e dando um grito sem o menor motivo. Além do mais, não era tão simples saber exatamente com que força devia gritar. Soltei um "oh" bastante alto e depois experimentei um pouco mais alto ainda e um pouco mais baixo.

Então saí novamente e preparei minha desculpa de pé pisado (machucado, *suponho* que fosse o que ele queria dizer!).

Mas logo vi que não precisaria de nenhum pretexto. Poirot e Miss Johnson conversavam seriamente juntos e era evidente que não se verificara a menor interrupção.

"Bom", pensei, "o problema ficou resolvido. Ou Miss Johnson imaginou ter ouvido o tal grito ou então foi qualquer coisa bem diferente."

Não me agradou a ideia de interrompê-los. Havia uma espreguiçadeira na varanda e aproveitei para sentar. As vozes de ambos chegavam aos meus ouvidos.

— A situação é delicada, compreende? — dizia Poirot. — O dr. Leidner... evidentemente adorava a esposa...

— Idolatrava — afirmou Miss Johnson.

— Ele me diz, naturalmente, que todos os auxiliares gostavam muito dela! Quanto a eles, que podem dizer? Claro, repetem a mesma coisa. Por cortesia, por decoro.

Pode ser até que seja verdade! Mas também pode ser que *não*! E eu estou convencido, Mademoiselle, que a chave do enigma reside numa total compreensão do caráter de Mrs. Leidner. Se eu conseguisse obter a opinião... a opinião sincera... de cada membro do grupo, eu poderia, do conjunto, traçar um quadro. Para falar com franqueza, é por isso que vim cá hoje. Sabia que o dr. Leidner estaria em Hassanieh. Assim me fica mais fácil ter uma entrevista aqui com cada um de vocês por sua vez, para ver se me ajudam.

— Está tudo muito bem — começou Miss Johnson e parou.

— Não me venha com lugares-comuns ingleses — implorou Poirot. — Não vá dizer que é desonesto ou sujo, que não se fala senão bem dos mortos... que... *enfin*... existe uma coisa chamada lealdade! A lealdade, em matéria de crime, é uma pestilência. Muitas vezes esconde a verdade.

— Não devo nenhuma lealdade especial a Mrs. Leidner — retrucou Miss Johnson friamente. Havia de fato um tom áspero e acidulado em sua voz. — Já o dr. Leidner é assunto diferente. E, afinal de contas, ela era a mulher dele.

— Justo... justo. Percebo que não quer falar mal da esposa de seu chefe. Mas não se trata de uma questão de preito de admiração. É uma questão de morte súbita e misteriosa. Se devo acreditar que foi um anjo martirizado que assassinaram, a minha tarefa não resulta mais fácil.

— Eu, com toda a certeza, não a chamaria de anjo — afirmou Miss Johnson, e o tom acidulado ficou ainda mais flagrante.

— Diga-me, francamente, sua opinião sobre Mrs. Leidner... como mulher.

— Hum! Para começar, M. Poirot, vou deixá-lo de sobreaviso. Sou suspeita. Sinto... todos nós sentíamos... devoção pelo dr. Leidner. E, imagino, quando Mrs. Leidner apareceu, ficamos com ciúmes. Ressentíamo-nos contra as exigências que ela fazia sobre o tempo e a atenção dele. A devoção que demonstrava por ela nos irritava. Estou sendo sincera, M. Poirot, o que não me é muito agradável.

A presença dela aqui me indignava... sim, é fato, embora, naturalmente, procurei sempre disfarçar. Fazia diferença para nós, compreende?

— Nós? Nós quem?

— Mr. Carey e eu. Éramos os dois veteranos, sabe? E não gostávamos muito da nova situação. Suponho que seja normal, embora talvez fosse um tanto mesquinho de nossa parte. Mas *realmente* fazia diferença.

— Que espécie de diferença?

— Oh, em tudo. Antigamente nos divertíamos tanto. Brincava-se o tempo todo, entende? Brincadeiras um pouco tolas, que nem as pessoas fazem quando trabalham juntas. O dr. Leidner vivia tão alegre... parecia um menino.

— E quando Mrs. Leidner chegou, tudo isso mudou?

— Bom, não digo que fosse culpa *dela*. O ano passado até que nem foi tão ruim assim. E por favor, M. Poirot, acredite que não era nada que ela *fizesse*. Sempre se mostrou perfeita comigo... simplesmente perfeita. É por isso que às vezes me sentia envergonhada. Ela não tinha culpa se certas coisinhas que dizia e fazia pareciam ferir-me num ponto fraco. Ninguém realmente podia ser mais simpática do que ela era.

— Mas apesar disso as coisas mudaram nesta temporada? Havia uma atmosfera diferente?

— Oh, completamente. De fato, não sei o que foi. Tudo parecia andar mal... não com o serviço... conosco, quero dizer... com nossos temperamentos e nossos nervos. Todo mundo irritado. Quase a espécie de sensação que a gente tem quando uma tempestade se aproxima.

— E atribui isso à influência de Mrs. Leidner?

— Ora, nunca foi assim antes da chegada dela — respondeu Miss Johnson friamente. — Oh! Eu sou uma gralha velha, intratável e queixosa. Conservadora... gostando que as coisas fiquem sempre no mesmo. O senhor não deve realmente dar muita importância ao que digo, M. Poirot.

Morte na Mesopotâmia   147

— Como descreveria o caráter e temperamento de Mrs. Leidner?

Miss Johnson hesitou um instante. Depois, escolhendo as palavras, disse:

— Bom, claro que era temperamental. Oscilava muito. Uma hora afável com as pessoas e no dia seguinte talvez nem falasse com elas. Era muito gentil, creio. Cheia de atenções com os outros. Apesar disso, via-se que fora tremendamente mimada desde criança. Aceitava a submissão do dr. Leidner como perfeitamente normal. E acho que nunca avaliou bem o homem verdadeiramente notável... excepcional... com quem casou. Isso às vezes me aborrecia. E ela, evidentemente, andava sempre impaciente e nervosa. As coisas que vivia imaginando e a agitação em que ficava! Dei graças a Deus quando o dr. Leidner trouxe a enfermeira Leatheran para cá. Era demais para ele ter de arcar com o trabalho e os medos da esposa.

— Qual a sua opinião pessoal sobre as tais cartas anônimas que ela recebeu?

Não pude evitar. Curvei-me para a frente na cadeira até que consegui enxergar o perfil de Miss Johnson virado para Poirot ao responder as perguntas.

Parecia perfeitamente calma e senhora de si.

— Creio que alguém na América tinha rancor dela e estava procurando assustá-la ou incomodá-la.

— *Pas plus serieux que ça?*

— Essa é a minha opinião. O senhor sabe, ela era uma mulher muito bonita, e podia facilmente ter criado inimigos. Acho que as tais cartas foram escritas por alguma mulher vingativa. Mrs. Leidner, tendo um temperamento nervoso, levou-as a sério.

— Quanto a isso não há dúvida — concordou Poirot.

— Mas lembre-se... a última delas chegou em mãos.

— Bom, eu suponho que isso *podia* ser conseguido se alguém se resolvesse a tanto. As mulheres não medem esforços para saciar o ódio, M. Poirot.

"De fato é assim", pensei comigo mesma!

— Talvez Mademoiselle tenha razão. Como diz, Mrs. Leidner era bonita. A propósito, conhece Miss Reilly, a filha do médico?

— Sheila Reilly? Sim, naturalmente.

Poirot adotou um tom muito confidencial, indiscreto.

— Ouvi um boato (claro que não quero perguntar ao médico) sobre a existência de uma *tendresse* entre ela e um dos membros do grupo do dr. Leidner. Sabe se tem fundamento?

Miss Johnson pareceu achar um pouco de graça.

— Oh, o jovem Coleman e David Emmott gostavam de frequentar bailes. Consta que houve certa rivalidade para ver quem seria o par dela numa determinada festa no clube. Em geral, os dois rapazes iam ao clube nas noites de sábado. Mas não sei se houve qualquer incentivo da parte dela. É a única criatura moça na localidade, compreende? E assim se tornou praticamente a bela cobiçada. É também a favorita dos bailes da Força Aérea.

— De modo que acha que não tem o mínimo fundamento?

— Bom... não sei — Miss Johnson ficou pensativa. — Verdade que costuma vir para estes lados bastante seguido. Lá em cima nas escavações e tudo o mais. De fato, Mrs. Leidner estava mexendo com David Emmott por causa disso outro dia... dizendo que a pequena andava atrás dele. O que me pareceu um comentário meio ferino, e não creio que ele tenha gostado. Sim, Sheila aparecia bastante aqui. Enxerguei-a cavalgando rumo às escavações naquela tarde fatídica — acenou com a cabeça em direção à janela aberta. — Porém nem David Emmott, nem Coleman ficaram de plantão naquele dia. Quem estava era Richard Carey. Sim, talvez *ande* atraída por um dos rapazes... mas é uma moça tão moderna e pouco sentimental que a gente não sabe até que ponto se pode levá-la a sério. Estou certa de que não sei qual deles que é. Bill é ótimo, e muito menos tolo do que finge ser. David Emmott é um encanto... com uma série de qualidades. É um tipo quieto, profundo.

Depois fitou Poirot intrigada e perguntou:

— Mas que relação tem isso com o crime, M. Poirot?

O detetive jogou as mãos para o alto num gesto bem francês.

— Mademoiselle me faz corar — disse. — Me desmascara como mero bisbilhoteiro. Mas, que quer, sinto sempre interesse pelos casos amorosos de gente moça.

— Sim — concordou Miss Johnson com leve suspiro. — É lindo quando um verdadeiro amor não encontra obstáculos pela frente.

Poirot deu um suspiro como resposta. Fiquei a imaginar se Miss Johnson não estaria pensando em algum caso de amor que tivera na mocidade. E se M. Poirot não teria uma esposa, e não se comportava do jeito que sempre se ouve falar que é típico dos estrangeiros, com amantes e coisas por esse estilo. Seu aspecto era tão cômico que seria difícil imaginá-lo em tal papel.

— Sheila Reilly tem muita personalidade — disse Miss Johnson. — É moça rude mas possui bom caráter.

— Confio na palavra de Mademoiselle — retrucou Poirot.

Ergueu-se e perguntou:

— Há algum outro membro da equipe de momento na casa?

— Marie Mercado deve andar por aí. Os homens todos estão hoje nas escavações. Acho que queriam sair deste ambiente. Não os recrimino. Se quiser ir até lá...

Veio até a varanda e disse, toda sorridente para mim:

— A enfermeira Leatheran não se importa de levá-lo, não é mesmo?

— Mas certamente, Miss Johnson — respondi.

— E o senhor voltará para almoçar, não é, M. Poirot?

— Encantado, Mademoiselle.

Miss Johnson tornou a entrar no *living*, onde estava ocupada em catalogar coisas.

— Mrs. Mercado está no terraço — informei. — Não quer falar com ela antes?

— Acho que tanto faz. Vamos lá em cima.

Enquanto subíamos a escada eu disse:

— Fiz o que o senhor pediu. Escutou alguma coisa?

— Absolutamente nada.

— Em todo caso já serve para tirar um peso da consciência de Miss Johnson — observei. — Anda preocupada porque podia ter feito qualquer coisa na hora.

Mrs. Mercado estava sentada no parapeito, de cabeça baixa, e tão absorta em seus pensamentos que nem percebeu nossa aproximação até que Poirot se deteve na sua frente e deu-lhe bom dia.

Então levantou os olhos, sobressaltada.

Achei que tinha cara de doente nessa manhã, com seu pequeno rosto contraído e murcho, e fundas olheiras.

— *Encore moi* — disse Poirot. — Hoje venho com uma finalidade especial.

E prosseguiu exatamente da mesma maneira que tinha feito com Miss Johnson, explicando como lhe era necessário obter o verdadeiro retrato de Mrs. Leidner.

Mrs. Mercado, todavia, não foi tão sincera quanto Miss Johnson. Desmanchou-se em louvores repugnantes que, estou bem segura, distavam muito de seus verdadeiros sentimentos.

— A cara, *cara* Louise! É tão difícil explicá-la para alguém que não a conheceu. Era uma criatura tão *exótica*. Muito diferente dos outros. Tenho certeza de que a enfermeira também notou isso, não? Uma mártir dos nervos, naturalmente, e cheia de fantasias, mas a gente suportava estas coisas que ela fazia que não suportaria de ninguém mais. E era tão *querida* por todos nós, não era, enfermeira? E tão *humilde* consigo mesma... quero dizer, não sabia nada de arqueologia, e tinha tanta vontade de aprender. Sempre interrogando meu marido sobre os processos químicos para tratamento dos objetos de metal e ajudando Miss Johnson a consertar as cerâmicas. Oh, éramos todos tão *afeiçoados* a ela!

— Então não é verdade, Madame, o que ouvi dizer, que reinava aqui uma certa tensão... uma atmosfera de constrangimento?

Mrs. Mercado arregalou os opacos olhos pretos.

— Oh! Quem *pôde* dizer-lhe uma coisa dessas? A enfermeira? O dr. Leidner? Estou certa de que *ele* jamais seria capaz de notar coisa alguma, coitado.

E me lançou um olhar positivamente hostil.

Poirot sorriu, despreocupado.

— Tenho meu espiões, Madame — declarou, todo alegre, e por um instante vi as pálpebras dela tremerem e pestanejarem.

— Não acha — perguntou Mrs. Mercado com grande doçura — que, depois de um acontecimento dessa espécie, todo mundo sempre finge saber uma porção de coisas que nunca houve? Sabe como é... tensão, atmosfera, uma "sensação de que algo estava por acontecer"? Creio que as pessoas simplesmente *inventam* essas coisas posteriormente.

— Tem muita razão no que diz, Madame — concordou Poirot.

— E realmente *não é* verdade! Éramos uma família completamente unida aqui.

— Essa mulher é uma das maiores mentirosas que eu já vi — afirmei indignada, depois que M. Poirot e eu saímos da casa e caminhávamos pela senda que conduzia às escavações. — Tenho certeza de que simplesmente detestava Mrs. Leidner!

— Dificilmente é um tipo a quem a gente recorre para apurar a verdade — concordou Poirot.

— Foi uma perda de tempo conversar com ela — repliquei.

— Nem tanto... nem tanto. Se uma pessoa prega mentiras com os lábios, às vezes revela a verdade com o olhar. De que tem medo a nossa pequena Madame Mercado? Percebi medo no olhar dela. Sim... decididamente ela está com medo de alguma coisa. É muito interessante.

— Tenho algo para lhe contar, M. Poirot.

Então descrevi o que sucedera ao voltar para casa na véspera e minha firme crença de que Miss Johnson era a autora das cartas anônimas.

— Quer dizer que *ela* também é uma mentirosa! — exclamei. — O jeito calmo com que respondeu ao senhor hoje de manhã a respeito dessas mesmas cartas!

— Sim — retrucou Poirot. — Aquilo foi interessante. *Porque ela revelou que sabia tudo a respeito delas.* Até agora não tinham sido mencionadas na presença da equipe. Claro, é bem possível que o dr. Leidner lhe falasse nelas ontem. Os dois são velhos amigos. Mas se não falou... bom... então é curioso e interessante, não é mesmo?

Meu respeito por ele aumentou. Era inteligente a maneira com que usara aquele artifício para forçá-la a mencionar as cartas.

— Pretende pressioná-la por causa disso? — perguntei.

Mr. Poirot pareceu muito escandalizado com a ideia.

— Não, não, de maneira alguma. Sempre é imprudente alardear o que se sabe. Até o último minuto guardo tudo aqui dentro — bateu na testa. — No momento exato... dou o bote... que nem a pantera... e, *mon Dieu*! Como ficam consternados!

Não pude evitar o riso ao imaginar o minúsculo M. Poirot no papel de uma pantera.

Chegamos às escavações. A primeira pessoa que encontramos foi Mr. Reiter, ocupado em fotografar uns muros.

Sou da opinião de que os operários incumbidos das escavações simplesmente levantavam muros onde queriam. Pelo menos era a impressão que dava. Mr. Carey me explicou que se podia notar logo a diferença com uma picareta, e tentou mostrar-me — mas não percebi. Quando o homem dizia "*Libn*" — tijolo de barro — para mim aquilo não passava de puro lodo sujo.

Mr. Reiter terminou de bater as fotografias e entregou a máquina e as chapas ao seu auxiliar, pedindo-lhe que as levasse de volta para a casa.

Poirot lhe fez uma ou outra pergunta sobre exposições e rolos de filmes e assim por diante, que ele respondeu com toda a presteza. Parecia satisfeito de ser questionado sobre seu trabalho.

Estava justamente se desculpando por ter de nos deixar quando Poirot se lançou de novo à sua fórmula clássica. Para falar a verdade, não era propriamente uma fórmula clássica porque variava um pouco de cada vez, conforme a pessoa a quem se dirigisse. Só que eu não vou descrevê-la todas as vezes. Com pessoas sensatas, que nem Miss Johnson, ia direto ao assunto, ao passo que com outros precisava fazer um pouco mais de rodeios. Mas no fim redundava tudo no mesmo.

— Sim, sim, percebo o que o senhor quer dizer — disse Mr. Reiter. — Porém, de fato, não vejo como lhe possa ajudar. Sou novo aqui esta temporada e nunca conversei muito com Mrs. Leidner. Lamento, mas realmente nada lhe posso adiantar.

Havia qualquer coisa meio rígida e estrangeira em sua maneira de falar, embora, naturalmente, não tivesse nenhum sotaque — exceto americano, bem-entendido.

— Não pode, ao menos, me informar se simpatizava com ela ou não? — insistiu Poirot com um sorriso.

Mr. Reiter ficou vermelho e tartamudeou.

— Era uma pessoa encantadora... verdadeiramente encantadora. E intelectual. Tinha muita inteligência... sim.

— *Bien!* O senhor gostava dela. E ela, gostava do senhor?

Mr. Reiter avermelhou ainda mais.

— Oh, eu... eu não sei se ela ligava muito para mim. E fui desastrado mais de uma vez. Sempre tinha azar quando tentava fazer alguma coisa para ela. Creio que a irritava com minha falta de jeito. Nunca foi por querer... eu teria feito *tudo*...

Poirot se apiedou das atrapalhações dele.

— Perfeitamente... perfeitamente. Passemos a outro assunto. Havia uma atmosfera de alegria na casa?

— Como?

— Vocês todos eram muito unidos? Riam e conversavam juntos?

— Não... não, não era bem assim. Havia uma certa. reserva. — Fez uma pausa, lutando consigo mesmo, e d pois acrescentou: — O senhor vê, não sou muito b pro convívio. Sou desajeitado. Tímido. O dr. Leidner tem sido de uma bondade rara comigo. Mas... é ridículo... não posso vencer minha timidez. Sempre digo a coisa errada. Derrubo jarros d'água. Sou azarado.

Parecia, de fato, uma criança grande e inepta.

— Todos nós nos comportamos assim quando somos jovens — consolou Poirot, sorrindo. — A pose, o *savoir- -faire* vem com o tempo.

Depois, com uma palavra de adeus, seguimos adiante.

— Ou esse rapaz é extremamente ingênuo, *ma soeur*, ou um ator absolutamente extraordinário.

Não respondi. Fiquei, mais uma vez, tomada pela fantástica noção de que uma daquelas pessoas era um assassino perigoso e desalmado. Seja como for, nessa linda e calma manhã ensolarada, parecia até impossível.

21
Mr. Mercado, Richard Carey

— Vejo que eles trabalham em dois lugares separados — observou Poirot, detendo-se.

Mr. Reiter estivera fotografando uma área afastada da escavação principal. A pouca distância de nós, um segundo enxame de homens vinha e voltava com cestas.

— É o que chamam de corte profundo — expliquei. — Não encontram grande coisa ali, a não ser cacos de cerâmica desprezíveis, mas o dr. Leidner sempre diz que é muito interessante, portanto, suponho que deve ser.

— Vamos até lá.

Caminhamos lado a lado devagar, pois o sol estava quente.

Mr. Mercado dava ordens. Nós o vimos lá embaixo, conversando com o capataz, um velho que lembrava uma tartaruga vestida de paletó de mescla por cima de uma saia comprida de algodão listrado.

Enquanto eu seguia Poirot, ele de repente perguntou por cima do ombro:

— Mr. Mercado é canhoto?

Ora, já se viu pergunta mais extravagante?

Refleti um instante.

— Não — respondi num tom decidido.

Poirot não se deu o trabalho de explicar. Simplesmente continuou descendo e eu fui atrás.

Mr. Mercado pareceu até satisfeito em nos ver.

Seu rosto comprido e melancólico se iluminou.

M. Poirot fingiu um interesse em arqueologia que, tenho certeza, não podia realmente sentir, mas Mr. Mercado respondeu prontamente.

Explicou que já haviam atingido 12 níveis nos cortes de ocupação residencial.

— Agora estamos decididamente no quarto milênio — anunciou, eufórico.

Sempre pensei que um milênio pertencia ao futuro — época em que tudo daria certo.

Mr. Mercado apontou para faixas de cinzas (como sua mão tremia! Fiquei imaginando se talvez não sofria de malária), explicando como a cerâmica mudava de caráter, e sobre túmulos — como tinham encontrado um nível praticamente formado só por sepulturas de crianças — pobrezinhas — e sobre posição e orientação curvada, que parecia indicar a maneira como os ossos estavam colocados.

Foi então que, repentinamente, no momento exato em que se inclinava para apanhar uma espécie de faca de pedra num canto, ao lado de uma série de vasos, deu um pulo no ar com um berro violento.

Virou-se deparando comigo e Poirot olhando assombrados para ele.

Apertou a mão contra o braço esquerdo.

— Alguma coisa me picou... como uma agulha incandescente.

Imediatamente Poirot se transformou num dínamo de energia.

— Depressa, *mon cher*, vejamos o que é. Enfermeira Leatheran!

Aproximei-me logo.

Ele pegou o braço de Mr. Mercado e enrolou habilmente a manga da camisa cáqui até o ombro.

— Aqui — apontou Mr. Mercado.

A uns dez centímetros abaixo do ombro via-se uma minúscula picada de onde jorrava sangue.

— Curioso — comentou Poirot, espiando dentro da manga enrolada. — Não vejo nada. Seria uma formiga?

— É bom passar um pouco de iodo — aconselhei.

Sempre trago um bastão de iodo comigo. Apanhei-o e apliquei-o. Mas fiz isso um pouco distraída, pois minha atenção se fixara em algo bem diferente. O braço de Mr. Mercado, desde o pulso até o cotovelo, estava todo marcado por pequeninas manchas. Eu sabia perfeitamente bem o que *eram* — *marcas de agulha de injeção*.

Mr. Mercado baixou de novo a manga e recomeçou suas explicações. Mr. Poirot escutava, mas não procurou puxar a conversa para o assunto dos Leidner. De fato não perguntou absolutamente nada a Mr. Mercado.

Finalmente nos despedimos dele e tornamos a subir a senda.

— Foi bem dada, não achou? — perguntou meu companheiro.

— Dada? — estranhei.

M. Poirot tirou qualquer coisa da lapela do paletó e examinou-a com carinho. Para minha surpresa, vi que era uma agulha de cerzir, comprida e pontuda, com uma gota de cera de lacre transformando-a em alfinete.

— M. Poirot — exclamei —, foi o *senhor*?

— Fui o ferrão do inseto... sim. E apliquei muito bem, não lhe pareceu? A senhora nem viu.

Realmente. *Eu* nem notei. E estou certa de que Mr. Mercado não desconfiou. Decerto agira com uma rapidez de relâmpago.

— Mas por quê, M. Poirot?

Ele me respondeu com outra pergunta.

— Não reparou nada, *ma soeur*?

Sacudi lentamente a cabeça.

— Marcas de injeção — disse eu.

— Portanto agora sabemos algo a respeito de Mr. Mercado. Eu suspeitava... porém não *sabia*. É sempre necessário *saber*.

"E não se importa com os métodos que usa!", pensei mas não falei.

De repente Poirot bateu a mão no bolso.

— Diabo, deixei cair meu lenço lá embaixo. Escondi o alfinete nele.

— Eu vou buscar pro senhor — disse eu e voltei correndo.

A essa altura, sabem, tinha a sensação de que M. Poirot e eu éramos o médico e a enfermeira que tratavam de um caso. Pelo menos até parecia uma operação, da qual fosse ele o cirurgião. Talvez não fique bem confessar uma coisa dessas mas de um modo estranho eu estava começando a me divertir.

Lembro-me que, logo depois que concluí meu período de treinamento, atendi um caso numa residência particular onde foi necessária uma operação urgente, e o marido da paciente era maníaco a respeito de casas de saúde. Recusou-se terminantemente a levar a esposa para o hospital. Disse que teria de ser feita lá mesmo.

Ora, para mim, naturalmente, foi ótimo! Ninguém para se intrometer no meio! Tomei conta de tudo. Claro, fiquei tremendamente nervosa — pensei em todas as coisas concebíveis que o doutor podia precisar e mesmo assim estava com receio de ter esquecido algo. Com os médicos nunca se sabe. Às vezes pedem verdadeiros absurdos! Mas tudo correu às mil maravilhas! Eu tinha tudo à mão, à medida que ele pedia, e depois que a operação terminou chegou até a dizer que eu havia feito um trabalho de primeira — o tipo da coisa que a maioria dos médicos nem se preocupa em fazer! O clínico geral também foi muito simpático. E fiz tudo sozinha!

A paciente se curou, aliás, e assim todo mundo ficou contente.

Pois agora eu sentia mais ou menos a mesma impressão. De certo modo, M. Poirot me lembrava aquele cirurgião. *Também* era baixinho. Um homenzinho feio, com cara de macaco, mas um médico-cirurgião maravilhoso. Sabia instintivamente o lugar exato em que devia cortar. Já encontrei uma porção de cirurgiões e sei a grande diferença que existe.

Aos poucos fui criando uma espécie de confiança em M. Poirot. Achei que ele, também, sabia exatamente o que estava fazendo. E comecei a sentir que tinha o dever de ajudá-lo — ficando com o fórceps e as pinças de prontidão para o momento em que precisasse. Por isso é que me parecia tão natural sair correndo à procura do seu lenço quanto seria juntar uma toalha que o médico tivesse jogado no chão.

Depois de localizar o lenço e regressar, a princípio não consegui vê-lo. Por fim, porém, avistei-o. Estava sentado um pouco afastado da elevação, conversando com Mr. Carey. O ajudante de Mr. Carey tinha parado perto, com aquela vara enorme, toda dividida em metros, mas nesse momento exato ele falava qualquer coisa ao garoto, que então foi embora. Pelo visto, interrompera provisoriamente o trabalho.

Gostaria de deixar bem claro o que aconteceu a seguir. Vocês veem, eu não tinha muita certeza do que M. Poirot queria que eu fizesse ou não. Quero dizer, ele podia ter-me mandado buscar o tal lenço *de propósito*. Para se livrar de mim.

Assemelhava-se incrivelmente a uma operação. A gente precisa tomar cuidado para entregar ao médico exatamente o que ele necessita e não o que ele *não* quer. Eu digo, suponhamos que lhe entregasse o fórceps das artérias no momento errado, e me atrasasse na hora certa! Graças a Deus conheço perfeitamente bem meu trabalho na sala

Morte na Mesopotâmia 159

de operações. Não estou exposta a cometer erros ali. Mas nessa história eu era, de fato, a mais bisonha das principiantes. E por isso tinha de tomar todo cuidado para não cometer os erros mais ridículos.

Claro que nem por um instante imaginei que M. Poirot não quisesse que eu escutasse o que ele e Mr. Carey conversavam. Ele, porém, era capaz de ter pensado que conseguiria melhores informações de Mr. Carey se eu não estivesse presente.

Agora não quero que ninguém suponha que sou o tipo da mulher que anda por aí bisbilhotando conversas íntimas. Não faria semelhante coisa. Nunca na vida. Por mais que eu me sentisse tentada.

E o que eu quero dizer é que se *tivesse* sido uma conversa íntima, jamais cogitaria de fazer o que, para dizer a verdade, terminei fazendo.

Do meu ponto de vista, eu me achava numa situação privilegiada. Afinal de contas, ouve-se muita coisa quando uma pessoa recupera os sentidos após a anestesia. O paciente não haveria de gostar que a gente ouvisse — e geralmente não tem a mínima ideia de que foi ouvido — mas o fato é que se ouve *mesmo*. Simplesmente fingi que Mr. Carey era o paciente. Ele nada teria a perder se não viesse a saber. E se vocês pensam que foi mera curiosidade minha, pois olha, admito que *foi*. Não queria deixar de ouvir aquilo por nada deste mundo.

Tudo isso é apenas para explicar o fato de que desviei para um lado e tomei um caminho por trás do grande monte de entulho até ficar bem perto de onde se encontravam, porém oculta pelo ângulo do monte. E se alguém disser que cometi uma indiscrição, peço apenas licença para discordar. *Nada* deve ser escondido da enfermeira encarregada do caso, embora, naturalmente, seja o médico quem determina o que precisa ser *feito*.

É evidente que não sei qual fora a maneira de M. Poirot abordar o assunto mas quando cheguei lá ele fazia pontaria bem no centro do alvo, por assim dizer.

— Ninguém respeita a dedicação do dr. Leidner à esposa mais do que eu — estava dizendo. — Só que muitas vezes dá-se o caso de que a gente aprende mais sobre uma pessoa por intermédio dos inimigos do que dos amigos.

— O senhor insinua que os defeitos sejam mais importantes que as virtudes? — retrucou Mr. Carey, num tom irônico.

— Indiscutivelmente... quando se trata de assassinato. Talvez pareça estranho, mas nunca soube de ninguém que tivesse sido assassinado por ter um caráter modelar! E no entanto a perfeição é, fora de dúvida, uma coisa irritante.

— Creio que dificilmente seria a pessoa indicada para lhe ajudar — disse Mr. Carey. — Para ser totalmente sincero, Mrs. Leidner e eu não nos dávamos muito bem. Não quero dizer que fôssemos, de nenhum modo, inimigos, mas não éramos propriamente amigos. Mrs. Leidner sentia-se, talvez, um pouco enciumada de minha velha amizade com o marido dela. Eu, por minha parte, apesar de muito admirá-la e achar que era uma mulher extremamente bonita, andava meio ressentido com a influência que exercia sobre Leidner. Como resultado, nos mostrávamos bastante corteses um com o outro mas sem maiores intimidades.

— Admiravelmente explicado — opinou Poirot.

Mal podia enxergar suas cabeças, porém percebi que a de Mr. Carey se virou bruscamente, como se qualquer coisa no tom imparcial de M. Poirot lhe causasse uma impressão desfavorável.

M. Poirot prosseguiu.

— O dr. Leidner não ficou preocupado que o senhor e a esposa dele não se entendessem melhor?

Carey hesitou um instante antes de responder.

— Francamente... não tenho certeza. Ele nunca falou nada. Sempre tive esperança de que não notasse. Vivia muito concentrado no trabalho, compreende?

— Quer dizer que a verdade, segundo o senhor, é que realmente não simpatizava com Mrs. Leidner?

Carey encolheu os ombros.

— Eu provavelmente simpatizaria se não fosse casada com Leidner.

Riu como se achasse graça da própria declaração.

Poirot pôs-se a arrumar uma pilha de cacos partidos.

— Conversei hoje de manhã com Miss Johnson — comentou numa voz lânguida, distante. — Ela admitiu que tinha prevenção contra Mrs. Leidner e não gostava muito dela, apesar de que se apressou em frisar que Mrs. Leidner sempre fora perfeita no modo de tratá-la.

— O que é a pura verdade, a meu ver — disse Carey.

— Foi o que pensei. Depois tive uma conversa com Mrs. Mercado. Ela me contou minuciosamente como tinha sido dedicada a Mrs. Leidner e o quanto a admirara.

Carey não deu a mínima resposta, e depois de aguardar alguns instantes, Poirot continuou.

— Nisso... eu não acreditei! Aí então venho procurá-lo e o que o senhor me diz... bom, novamente... *não acredito*.

Carey se empertigou. Percebi a raiva, uma raiva contida, em sua voz.

— Francamente, não posso impedir suas crenças... ou descrenças, M. Poirot. Contei-lhe a verdade e, no que me diz respeito, acredite no que bem entender.

Poirot não se zangou. Pelo contrário, parecia especialmente humilde e deprimido.

— É culpa minha se acredito... ou não? Tenho ouvido apurado, sabe? E depois... correm tantos boatos por aí... rumores pairando no ar. A gente escuta... e talvez... fica sabendo de alguma coisa! Sim, boatos é o que não faltam.

Carey saltou em pé. Podia ver nitidamente uma pequena veia latejando em sua têmpora. Parecia simplesmente magnífico! Tão elegante e bronzeado — com aquele queixo esplêndido, firme e quadrado. Não me admiro que as mulheres se apaixonassem por esse homem.

— Que boatos? — perguntou, furioso.

Poirot olhou-o de soslaio.

— Talvez adivinhe. O tipo de boato habitual... sobre o senhor e Mrs. Leidner.

— Que mentalidade monstruosa as pessoas têm!

— *N'est-ce pas?* São que nem cachorros. Por mais fundo que se enterre um dissabor, sempre aparece alguém para desenterrá-lo outra vez.

— E o senhor acredita em boatos?

— Estou disposto a acreditar na verdade — respondeu Poirot todo solene.

— Duvido que acreditasse se soubesse qual é.

E soltou uma gargalhada grosseira.

— Experimente para ver — provocou Poirot, observando-o.

— Pois então ouça! Quer saber a verdade? Eu odiava Louise Leidner... essa é que é a verdade! Eu a odiava com uma fúria infernal!

22
David Emmott, padre Lavigny
e uma descoberta

Virando abruptamente as costas, Carey se afastou.

Poirot ficou sentado, acompanhando-o com o olhar.

— Sim... compreendo — murmurou afinal. E sem virar a cabeça, acrescentou em voz ligeiramente mais alta: — Fique ainda um pouco onde está, enfermeira. Caso ele olhe para trás. Pronto, pode vir. Trouxe o lenço? Obrigado. É muito amável.

Não comentou absolutamente nada sobre o fato de eu ter ficado escutando — e como soube que eu estava *ali*, não posso imaginar. Não olhara nem uma vez naquela direção. Fiquei meio aliviada com sua falta de comentários. Quero dizer, eu não sentia o menor remorso pelo que havia feito, mas seria um pouco embaraçoso explicar-lhe aquilo. Portanto achei ótimo que aparentemente não quisesse explicações.

— O senhor crê que ele a odiasse, M. Poirot? — perguntei.

Assentindo lentamente, com uma expressão estranha no rosto, Poirot respondeu:

— Sim... creio que odiava.

Depois levantou-se rapidamente e dirigiu-se ao ponto onde os homens trabalhavam no alto da elevação. Fui atrás. A princípio só vimos operários árabes, mas por fim encontramos Mr. Emmott, deitado de bruços, soprando areia de um esqueleto que acabava de ser descoberto.

Sorriu com aquele seu jeito simpático e sério quando nos viu.

— Vieram dar uma olhada? — perguntou. — Fico pronto num minuto. Sentou no chão, pegou o canivete e começou a raspar delicadamente a terra que envolvia os ossos, parando de vez em quando para lançar mão de um fole ou da própria respiração. Método muito insalubre, esse último, a meu ver.

— Vai pegar tudo o que é espécie de micróbios nojentos na boca, Mr. Emmott — protestei.

— Micróbios nojentos são minha dieta cotidiana, enfermeira — retrucou, circunspecto. — Micróbios não fazem nenhum mal ao arqueólogo... ficam simplesmente desanimados de tanto tentar.

Raspou um pouco mais em volta do fêmur. Depois falou com o capataz, indicando exatamente o que queria que fizesse.

— Pronto — anunciou, erguendo-se. — Está tudo preparado pro Reiter fotografar depois do almoço. Negócio bem bonito ela trazia consigo.

Mostrou-nos uma pequena tigela de cobre coberta de azinhavre e alguns broches. E uma porção de coisas douradas e azuis que lhe tinham servido de colar de contas.

Os ossos e demais objetos foram escovados e limpos com um canivete e deixados numa posição propícia às fotografias.

— Quem é ela? — perguntou Poirot.

— Primeiro milênio. Uma senhora de certa posição, talvez. A caveira parece meio esquisita... preciso pedir pro Mercado verificar. Dá impressão de morte por violência.

— Uma Mrs. Leidner de cerca de dois mil anos atrás?
— sugeriu Poirot.

— Quem sabe? — retrucou Mr. Emmott.

Bill Coleman estava fazendo qualquer coisa com uma picareta na fachada de um muro.

David Emmott gritou algo para ele que não pude entender e depois começou a mostrar tudo a M. Poirot.

Depois de encerrada a excursão explanatória, Emmott consultou o relógio de pulso.

— Vamos largar o serviço dentro de dez minutos — avisou. — Quer voltar a pé para casa?

— Excelente ideia — respondeu Poirot.

Caminhamos lentamente pela senda batida.

— Calculo que estejam todos contentes por estarem trabalhando de novo — comentou Poirot.

— Sim, foi a melhor solução — replicou Emmott muito sério. — Não era nada fácil andar vadiando pela casa e puxar conversa com os outros.

— Sabendo todo o tempo *que um de vocês era assassino*.

Emmott não fez nenhum comentário. Nem sequer um gesto de protesto. Eu sabia agora que ele desconfiara da verdade desde o início, quando interrogara os copeiros.

Decorridos alguns instantes, perguntou em voz baixa:

— Chegou a alguma conclusão, M. Poirot?

— O senhor me ajudará a chegar? — retrucou Poirot, solene.

— Mas naturalmente.

Sem desviar os olhos dele, Poirot disse:

— O pivô do caso é Mrs. Leidner. Quero saber sobre ela.

— O que entende o senhor por saber sobre ela? — retorquiu David Emmott hesitante.

— Não me refiro à procedência ou o nome que tinha em solteira. Nem ao formato de rosto e à cor dos olhos. Eu me refiro a... ela própria.

— Acha que interessa ao caso?

— Tenho absoluta certeza.

Emmott conservou-se calado por um momento.

— Talvez o senhor tenha razão — concordou, por fim.

— E é nisso que me pode ajudar. Pode contar-me a espécie de mulher que ela era.

— Posso? Eu mesmo muitas vezes fiquei imaginando.

— E não chegou a uma decisão sobre o assunto?

— Creio que no fim cheguei.

— *Eh bien?*

Mas Mr. Emmott ficou em silêncio durante certo tempo. Depois perguntou:

— O que é que a enfermeira achava dela? Consta que as mulheres são bastante rápidas para analisar as outras, e uma enfermeira tem vasta experiência de tipos.

Mesmo que eu quisesse responder, Poirot não me deu a mínima oportunidade. Falou logo:

— O que eu quero saber é a opinião que um *homem* tinha dela.

Emmott sorriu de leve.

— Tenho a impressão de que não faria grande diferença.

Depois de uma pausa disse:

— Não era jovem, mas acho que foi, praticamente, a mulher mais bonita que jamais encontrei.

— Não se pode dizer que isso seja uma resposta, Mr. Emmott.

— Mas não está muito longe de ser, M. Poirot.

Hesitou um instante e depois prosseguiu.

— Uma vez, quando era garoto, li um conto de fadas. Uma história nórdica sobre a Rainha da Neve e o Pequeno Kay. Creio que Mrs. Leidner foi um pouco assim... sempre deixando o Pequeno Kay embasbacado.

— Ah, é, um conto de Hans Andersen, não é mesmo? E havia uma menina também. A Pequena Gerda, não era esse o nome dela?

— É possível. Não me lembro direito.

— Não pode adiantar mais alguma coisa, Mr. Emmott?

David Emmott sacudiu a cabeça.

— Nem sequer sei se a descrevi como devia. Não era fácil de entender. Fazia uma coisa diabólica um dia e uma realmente ótima no outro. Acho, porém, que o senhor acertou em cheio quando disse que ela é o pivô do caso. Foi o que ela sempre quis ser... *o centro de tudo*. E gostava de *conhecer* as pessoas... quero dizer, não se contentava apenas com que lhe alcançassem torradas e manteiga de amendoim; exigia que a gente virasse o espírito e a alma pelo avesso para que ela pudesse saciar a curiosidade.

— E se alguém lhe negava essa satisfação? — perguntou Poirot.

— Então era capaz de virar uma fera!

Vi seus lábios se cerrarem resolutamente e o queixo se imobilizar.

— Mr. Emmott, suponho que o senhor não se importaria de manifestar uma simples opinião, sem compromisso, sobre quem a assassinou?

— Não sei — respondeu Emmott. — Realmente não tenho a menor ideia. Agora, se eu fosse Carl... Carl Reiter, quero dizer... bem que me arriscaria a matá-la. Ela se portou como uma verdadeira peste com ele. Mas está claro que a culpa foi dele, por ser tão terrivelmente suscetível. Até dá vontade de lhe dar um chute nas pernas.

— E Mrs. Leidner deu... um chute nas pernas dele? — indagou Poirot.

Emmott de repente sorriu.

— Não. Umas boas estocadas com a agulha de bordar... era esse o método dela. Ele *era* irritante, lógico. Igualzinho a uma criança chorona e medrosa. Mas a agulha é uma arma dolorosa.

Olhei rapidamente para Poirot e julguei perceber um leve tremor em seus lábios.

— Porém não crê realmente que Carl Reiter a tenha matado? — perguntou.

— Não. Não creio que se mate uma mulher só porque faz a gente de palhaço sistematicamente, durante cada refeição.

Poirot sacudiu a cabeça, pensativo.

A descrição de Mr. Emmott, naturalmente, tornava Mrs. Leidner quase desumana. Podia-se dizer algo em seu favor, também.

Tinha havido qualquer coisa profundamente exasperante na atitude de Mr. Reiter. Ele se sobressaltava quando ela lhe dirigia a palavra, e se portava feito um idiota, oferecendo-lhe, por exemplo, a geleia, sem parar, quando sabia perfeitamente que ela não gostava. Até eu me senti tentada a ser meio brusca com ele.

Os homens não compreendem como seus maneirismos podem enervar as mulheres, a tal ponto que a gente só sente vontade de ser ríspida.

Julguei que devia encontrar ocasião de explicar isso a M. Poirot.

A essa altura já tínhamos chegado em casa. Mr. Emmott perguntou se Poirot não queria lavar as mãos e levou-o até seu quarto.

Atravessei o pátio às pressas, dirigindo-me ao meu.

Tornei a sair quase ao mesmo tempo que eles e nós todos rumávamos para a sala de refeições quando o padre Lavigny apareceu no limiar da porta do seu quarto e convidou Poirot a entrar.

Mr. Emmott se aproximou e entramos os dois juntos na sala de refeições. Miss Johnson e Mrs. Mercado já se achavam ali, e após alguns minutos Mr. Mercado, Mr. Reiter e Bill Coleman vieram juntar-se a nós.

Estávamos sentando à mesa e Mr. Mercado pedia ao garoto árabe para avisar ao padre Lavigny que o almoço seria servido, quando fomos surpreendidos por um leve grito abafado.

Calculo que nossos nervos ainda não andassem muito bem, porque o susto foi geral e Miss Johnson ficou branca.

— *Que foi isso?* — exclamou. — O que aconteceu?

Mrs. Mercado olhou fixamente para ela.

— Minha querida, o que *é* que você tem? — perguntou. — É algum barulho lá fora nos campos.

Naquele instante Poirot e o padre Lavigny entraram na sala.

— Até pensamos que alguém tinha-se ferido — disse Miss Johnson.

— Mil perdões, Mademoiselle — pediu Poirot. — A culpa foi minha. O padre Lavigny estava me mostrando umas placas, eu levei uma para perto da janela para ver melhor... e, *ma foi*, sem olhar aonde ia, pisei o pé e a dor foi tão aguda que tive de gritar.

— Julgávamos que fosse outro crime — troçou Mrs. Mercado, rindo.

— Marie! — exclamou o marido, num tom de censura.

Ela avermelhou, mordendo os lábios.

Miss Johnson desviou rapidamente o assunto para as escavações, querendo saber que objetos de interesse tinham sido descobertos durante a manhã. A conversa até o fim do almoço se manteve num plano rigorosamente arqueológico.

Creio que todos julgaram que era a melhor solução.

Depois que tomamos café, passamos ao *living*. Mais tarde os homens, com exceção do padre Lavigny, partiram de novo para as escavações.

O padre Lavigny levou Poirot ao depósito de antiguidades e eu os acompanhei. Agora eu já começava a conhecer tudo razoavelmente bem e senti uma espécie de orgulho — quase como se fosse uma propriedade minha — quando o padre Lavigny tirou a taça de ouro da prateleira e ouvi a exclamação de admiração e prazer de Poirot.

— Que beleza! Que obra-prima!

O padre Lavigny concordou, animado, e pôs-se a enumerar as qualidades da taça com verdadeiro entusiasmo e conhecimento.

— Hoje ela não tem cera — observei.

— Cera? — Poirot me encarou.

— Cera? — o padre Lavigny fez o mesmo.

Expliquei minha observação.

— Ah, *je comprends* — disse o padre Lavigny. — Sim, sim, cera de vela.

Morte na Mesopotâmia   169

Daí passaram diretamente ao assunto do intruso da meia-noite. Esquecidos de minha presença, começaram a falar em francês e terminei deixando-os, voltando ao *living*.

Mrs. Mercado cerzia as meias do marido e Miss Johnson lia um livro, o que era bastante insólito. Geralmente parecia ter algum trabalho para fazer.

Dentro em pouco o padre Lavigny e Poirot apareceram, o primeiro retirando-se logo, alegando excesso de serviço. Poirot sentou em nossa companhia.

— Homem muito interessante — comentou, perguntando se o padre Lavigny tivera grande quantidade de trabalho para fazer até então.

Miss Johnson explicou que as placas andavam escassas e que tinha havido muito poucos blocos com inscrições ou cilindros de lacre. O padre Lavigny, no entanto, também ajudava nas escavações e estava aprendendo árabe coloquial com extrema rapidez.

Isso levou a conversa para os cilindros de lacre, e por fim Miss Johnson buscou num armário uma folha de impressões obtidas ao fazê-los rolar em cima de uma camada de plasticina.

Percebi, enquanto nos debruçávamos para admirar os engenhosos desenhos, que decerto era nisso que estivera trabalhando na tarde fatídica.

Durante nossos comentários, notei que Poirot enrolava e amassava uma bolinha de plasticina entre os dedos.

— Mademoiselle usa muita plasticina? — perguntou.

— Bastante. Este ano parece que gastamos uma quantidade regular... embora eu não possa entender de que maneira. Mas metade do estoque, pelo visto, já se foi.

— Onde fica guardada, Mademoiselle?

— Aqui... neste armário.

Ao colocar de novo a folha de impressões no lugar, mostrou-lhe a prateleira com rolos de plasticina, Durofix, cola fotográfica e outros artigos de papelaria.

Poirot abaixou-se.

— E isto... o que é, Mademoiselle?

Enfiara a mão bem no fundo, tirando um curioso objeto amassado.

Ao endireitá-lo, verificamos que era uma espécie de máscara, com os olhos e a boca toscamente pintados numa tinta indiana, tudo mais ou menos besuntado de plasticina.

— Que coisa mais extraordinária — exclamou Miss Johnson. — Nunca vi isso antes. Como veio parar aqui? E o que é?

— Como veio parar aqui? Bom, qualquer esconderijo sempre serve, e presumo que este armário não seria vasculhado antes do fim da temporada. Agora, quanto ao que *é*... acho que também não é difícil de dizer. *Temos aqui o rosto que Mrs. Leidner descreveu.* O rosto fantasmagórico visto no lusco-fusco do lado de fora da janela... sem corpo, solto no espaço.

Mrs. Mercado soltou um gritinho estridente.

Miss Johnson ficou com os lábios pálidos.

— Então *não* era imaginação — murmurou. — Era truque... um truque maldoso! Mas quem o fez?

— Sim — gritou Mrs. Mercado. — Quem teria feito uma coisa tão maldosa assim?

Poirot não procurou responder. Estava com a fisionomia duríssima enquanto se dirigia ao quarto contíguo, voltando com uma caixa de papelão vazia na mão e guardando dentro a máscara amassada.

— A polícia precisa ver isso — explicou.

— Que horror — disse Miss Johnson em voz baixa. — Que horror!

— O senhor acha que tudo está escondido aqui, nalgum canto? — exclamou Mrs. Mercado, naquele tom estridente. — Acha que talvez a arma... o cajado com que a mataram... ainda todo coberto de sangue, quem sabe... Oh! Estou apavorada... apavorada!

Miss Johnson agarrou-a pelo ombro.

— Fique quieta — ordenou, furiosa. — O dr. Leidner chegou. Não devemos afligi-lo.

De fato, naquele momento o carro entrava no pátio. O dr. Leidner desceu dele e veio diretamente até a porta do *living.* Tinha o rosto marcado por rugas de cansaço e aparentava o dobro da idade que eu lhe daria três dias antes.

— O enterro será amanhã às onze horas — anunciou com voz serena. — O major Deane fará a encomendação.

Mrs. Mercado balbuciou uma desculpa qualquer e depois escapuliu da sala.

— Você irá, Anne? — perguntou o dr. Leidner a Miss Johnson.

— Claro que nós todos iremos, meu caro — ela lhe respondeu. — Sem dúvida nenhuma.

Embora se limitasse a essas palavras, seu rosto decerto exprimia o que a língua se revelara impotente para transmitir, porque a fisionomia dele se iluminou de afeição e momentâneo alívio.

— Querida Anne — disse. — Você tem sido um consolo e uma ajuda maravilhosos para mim. Minha cara e velha amiga.

Pôs a mão no braço dela, e a vi enrubescer, enquanto murmurava, mais rouca do que nunca:

— Ora, não me custa nada.

Porém, num relance, surpreendi-lhe a expressão e percebi que, naquele rápido e intenso minuto, Anne Johnson atingira a felicidade perfeita.

E outra ideia me passou como um raio pela cabeça. Brevemente, com o correr do tempo, ao buscar apoio no velho amigo, uma situação nova e feliz talvez viesse a se concretizar.

Não que eu seja realmente casamenteira e certamente seria até indecoroso pensar numa coisa dessas antes do enterro. Mas, em última análise, *seria* uma ótima solução. Ele gostava muito dela, e não havia dúvida que ela lhe era completamente dedicada, e se sentiria perfeitamente feliz em consagrar-lhe o resto de sua vida. Isto é, se pudesse suportar as loas cantadas às perfeições de Louise o tempo todo. As mulheres, no entanto, são capazes de arcar com um bocado de coisas depois de conseguirem o que querem.

O dr. Leidner então cumprimentou Poirot, perguntando-lhe se efetuara algum progresso.

Miss Johnson, parada atrás do dr. Leidner, olhou intensamente para a caixa que Poirot trazia na mão, sacudindo a cabeça. Compreendi que lhe implorava para não tocar no assunto da máscara. Tenho certeza de que achava que ele sofrera golpes o bastante naquele dia.

Poirot atendeu o pedido.

— Essas coisas andam devagar, Monsieur — respondeu.

Depois, com palavras vagas, despediu-se.

Acompanhei-o até o carro.

Havia meia dúzia de perguntas que gostaria de fazer, mas não sei por que, quando ele se virou e me fitou, não me atrevi a abrir a boca. Era o mesmo que perguntar a um cirurgião se julgava que tinha feito uma boa operação. Restringi-me a ficar parada, aguardando humildemente as instruções.

Para minha completa surpresa, ele recomendou:

— Cuide-se bem, minha filha — e depois acrescentou: — Eu só queria saber se é conveniente que permaneça aqui...

— Tenho de falar com o dr. Leidner sobre a minha partida — retruquei. — Mas achei que devia esperar primeiro pelo enterro.

Ele assentiu em aprovação.

— No entretempo — aconselhou —, trate de não descobrir coisas demais. Não quero que se mostre excessivamente esperta, compreende? — E, dando um sorriso: — Compete-lhe segurar os ferros enquanto faço a operação.

Não era engraçado que fosse se lembrar de dizer justamente isso?

Aí então comentou, da maneira mais descabida:

— Homem interessante, esse tal de padre Lavigny.

— Me parece estranho que um monge seja arqueólogo — observei.

— Ah, sim, a senhora é protestante. Eu, sendo bom católico, conheço alguma coisa sobre padres e monges.

Franziu a testa, aparentemente hesitando e afinal disse:

— Lembre-se de que ele é bastante inteligente para virá-la pelo avesso se quiser.

Se tencionava me prevenir contra tagarelices, achei a advertência perfeitamente dispensável!

Aquilo andava me azucrinando e embora não quisesse lhe fazer nenhuma das perguntas que realmente tinha interesse em saber, não vi por que não havia, pelo menos, de dizer uma coisa.

— O senhor me desculpe, M. Poirot. Mas a gente diz *machuquei* o pé, e não *pisei*.

— Ah! Obrigado, *ma soeur*.

— Não por isso. Mas é só para empregar a expressão correta.

— Eu lembrarei — afirmou, de um modo que para ele era até submisso.

E entrou no carro e foi levado embora, enquanto eu voltava lentamente pelo meio do pátio, refletindo sobre uma porção de coisas.

Sobre as marcas de injeção no braço de Mr. Mercado e na espécie de droga em que seria viciado. E sobre aquela horrenda máscara besuntada de amarelo. E como era estranho que Poirot e Miss Johnson não tivessem escutado meu grito no *living* na parte da manhã, ao passo que todos nós tínhamos escutado Poirot com perfeita nitidez na sala de refeições à hora do almoço — e no entanto os quartos do padre Lavigny e de Mrs. Leidner ficavam praticamente à mesma distância do *living* e da sala de refeições, respectivamente.

E depois senti certa satisfação por ter ensinado ao *doutor* Poirot uma expressão correta!

Mesmo que fosse um grande detetive, teria de compreender que não sabia *tudo*!

23
Uma experiência mediúnica

O enterro, na minha opinião, foi uma cerimônia muito comovente. Além de nós, toda a população inglesa de Hassanieh compareceu. Até Sheila Reilly esteve presente, aparentando calma e discrição num costume preto. Eu esperava que estivesse sentindo um pouco de remorso pela série de coisas indelicadas que dissera.

Quando voltamos para casa, acompanhei o dr. Leidner ao escritório e abordei o assunto de minha partida. Mostrou-se muito amável, agradecendo pelo que eu havia feito (Feito! Eu fora menos que inútil) e insistindo para que aceitasse uma semana de salário extra.

Protestei, porque realmente achava que não fizera nada para merecê-la.

— De fato, dr. Leidner, preferia até não receber salário nenhum. Contento-me apenas com o reembolso das despesas de viagem.

Mas ele nem quis saber.

— O senhor vê — disse eu —, eu não me julgo merecedora, dr. Leidner. Quero dizer, eu... eu fracassei, ora. Ela... minha vinda não a salvou.

— Deixe dessa ideia, enfermeira — falou, sério. — Afinal, não contratei a senhora como detetive de saias. Nunca sonhei que a vida de minha mulher corresse perigo. Estava convencido de que eram somente puros nervos e que ela se metera numa confusão mental meio bizarra. A senhora fez tudo o que era possível fazer. Ela gostava e confiava na senhora. E eu acho que durante os últimos dias ela se sentiu mais feliz e segura por causa de sua presença aqui. Não tem nada que se recriminar.

Sua voz tremia um pouco e percebi o que estava pensando. Era *ele* quem devia se considerar culpado, por não ter levado a sério os receios de Mrs. Leidner.

— Dr. Leidner — perguntei, curiosa —, o senhor nunca chegou a uma conclusão sobre as tais cartas anônimas?

Morte na Mesopotâmia   175

— Não sei o que pensar — respondeu com um suspiro.

— E M. Poirot, chegou a alguma?

— Até ontem, não — afirmei, conseguindo, com bastante habilidade, me manter entre a verdade e a ficção. A rigor ele de fato não chegara, antes de eu lhe contar sobre o incidente com Miss Johnson.

Fiquei tentada a sugerir qualquer coisa nesse sentido ao dr. Leidner, só para observar sua reação. Na satisfação de vê-lo junto de Miss Johnson na véspera, e sua afeição e confiança nela, esquecera tudo sobre as cartas. Mesmo agora, me sentia um tanto mesquinha por trazer o assunto à baila. Ainda que ela as tivesse escrito, sofrera o diabo com a morte de Mrs. Leidner. Entretanto eu queria realmente verificar se essa possibilidade passara, algum dia, pela ideia do dr. Leidner.

— Cartas anônimas geralmente são obra de mulher — insinuei.

Precisava ver como ele se portaria.

— No mínimo tem razão — concordou com um suspiro. — Mas a senhora parece esquecer, enfermeira, que essas podem ser autênticas. É possível que fossem realmente escritas por Frederick Bosner.

— Não esqueci, não — retruquei. — Mas não sei por que não consigo aceitar essa explicação.

— Eu aceito. Esse negócio de ele ser um dos membros da expedição é rematada tolice. Não passa de uma hipótese engenhosa de M. Poirot. Creio que a verdade é muito mais simples. O homem está louco, claro. Anda rondando o local... talvez com uma espécie de disfarce. E de um jeito ou de outro, entrou aqui naquela tarde fatídica. Os empregados podem estar mentindo... sabe-se lá se não foram subornados?

— É possível — respondi, num tom de dúvida.

O dr. Leidner continuou, sem o menor traço de irritação.

— Pouco importa que M. Poirot suspeite dos membros de minha expedição. Estou absolutamente certo de que *nenhum* deles teve qualquer relação com o crime! Trabalho com eles. Eu os *conheço!*

Parou de repente. Depois perguntou:

— É essa a sua experiência, enfermeira? Que as cartas anônimas são geralmente escritas por mulheres?

— Nem sempre se dá o caso — repliquei. — Mas há um certo tipo de ressentimento feminino que encontra alívio dessa maneira.

— Suponho que esteja pensando em Mrs. Mercado — sugeriu. E logo sacudiu a cabeça. — Ainda que fosse bastante maldosa para querer magoar Louise, dificilmente disporia dos conhecimentos necessários — opinou.

Lembrei-me das primeiras cartas na maleta.

Se Mrs. Leidner tivesse esquecido de trancá-las e Mrs. Mercado ficasse um dia sozinha, perambulando pela casa, poderia, com a maior facilidade, tê-las encontrado e lido. Os homens, pelo visto, nunca pensam nas possibilidades mais simples!

— E além dela, só existe Miss Johnson — disse eu, observando-o.

— Isso seria absolutamente ridículo!

O leve sorriso com que frisou o comentário não admitia discussões. A ideia de Miss Johnson ser a autora das cartas jamais lhe passara pela cabeça! Hesitei somente um instante — porém não retruquei. Ninguém gosta de denunciar uma companheira, e eu, ademais, testemunhara o remorso autêntico e tocante de Miss Johnson. Águas passadas não movem moinhos. Por que expor o dr. Leidner a uma nova desilusão depois de tantos incômodos?

Combinou-se que eu partiria no dia seguinte, e providenciei, por intermédio do dr. Reilly, para ficar um ou dois dias com a superintendente do hospital enquanto fazia os preparativos para regressar à Inglaterra via Bagdá ou diretamente, via Nissibin, por carro e trem.

O dr. Leidner foi bastante gentil para dizer que gostaria de que eu escolhesse uma lembrança entre os pertences da esposa.

— Oh, não, sinceramente, dr. Leidner — objetei. — Não posso. É muita bondade sua.

Ele insistiu.

— Mas eu quero que leve alguma coisa. E Louise, tenho certeza, também gostaria.

Depois sugeriu que eu ficasse com o conjunto de toalete de tartaruga!

— Oh, não, dr. Leidner! É um conjunto muito *valioso*, puxa. Realmente, não posso.

— Ela não tinha irmãs, sabe... nenhum parente que queira essas coisas. Não existe mais ninguém para guardá-las.

Imaginei perfeitamente que não quisesse que caíssem nas pequenas mãos gananciosas de Mrs. Mercado. E não julgava que pretendesse oferecê-las a Miss Johnson.

Prosseguiu, todo cortês.

— Pense bem no caso. Por falar nisso, fique com a chave da caixa de joias de Louise. Talvez encontre ali alguma coisa que lhe agrade. E eu lhe agradeceria muito se pudesse arrumar... todas... todas as roupas dela. Tenho a impressão de que Reilly é capaz de descobrir serventia para elas entre as famílias pobres europeias de Hassanieh.

Senti-me contentíssima de poder fazer isso por ele, e exprimi minha boa vontade.

Tratei logo de pôr mãos à obra.

Mrs. Leidner possuíra apenas um guarda-roupa simples e não demorei a separar e arrumar tudo em duas malas. Todos os seus documentos estavam na pequena maleta. A caixa de joias continha um punhado de adornos despretensiosos — anel de pérolas, broche de brilhantes, um discreto colar de pérolas, e um ou dois modestos broches de ouro do tipo de alfinete de segurança, e um colar de contas graúdas de âmbar.

Eu, naturalmente, não ia ficar com as pérolas nem os brilhantes, mas hesitei um pouco entre as contas de âmbar e o conjunto de toucador. No fim, não vi por que não levar esse último. Era uma lembrança gentil do dr. Leidner, e estava certa de que não havia nela nenhuma espécie de paternalismo. Aceitaria com o mesmo espírito com que me fora ofertada, sem falso orgulho. Afinal, eu *tinha* gostado dela.

Bom, ficou tudo pronto e resolvido. As malas fechadas, a caixa de joias novamente trancada e deixada de lado, para entregar ao dr. Leidner junto com o retrato do pai de Mrs. Leidner e outras pequenas miudezas íntimas.

O quarto, quando terminei, parecia pobre e desolado depois de despojado de seus atavios. Não havia mais nada para eu fazer — e no entanto, não sei por que motivo, relutava em deixá-lo. Até me dava a impressão de que restava qualquer coisa a fazer ali — qualquer coisa que eu devia *verificar* — ou qualquer coisa que eu devia ter *visto*.

Não sou supersticiosa, mas me veio *de fato* a ideia de que o espírito de Mrs. Leidner estivesse talvez pairando no quarto, tentando entrar em contato comigo.

Lembro-me de que uma vez, no hospital, uma das enfermeiras nossa colega arranjou uma prancheta de sessão espírita, que realmente escreveu certas coisas bem extraordinárias.

Talvez, embora jamais tenha-me ocorrido semelhante possibilidade, eu possua qualidades mediúnicas.

É como digo, às vezes a gente se vê impelida a imaginar tudo quanto é espécie de asneira.

Andei à toa, nervosa, pelo quarto, mexendo aqui e ali. Mas naturalmente não havia nada, a não ser móveis vazios. Não encontrei coisa alguma escondida atrás ou no fundo das gavetas. Não podia esperar por nada desse tipo.

Por fim (até parece loucura, mas, como digo, a gente se vê impelida) fiz uma coisa meio esquisita.

Deitei-me na cama e fechei os olhos.

Procurei, deliberadamente, esquecer quem e o que eu era. Tentei voltar em espírito àquela tarde fatídica. Esforcei-me em ser Mrs. Leidner, deitada ali, descansando, tranquila e sem desconfiar de nada.

É fantástico como a gente pode transformar-se.

Sou uma criatura prosaica, perfeitamente normal — sem absolutamente nada de bicho do outro mundo, porém confesso que depois de ficar cerca de cinco minutos ali deitada comecei a me *sentir* mal-assombrada.

Não ofereci a mínima resistência. De propósito, estimulei aquela sensação.

— Sou Mrs. Leidner — repetia em pensamento. — Sou Mrs. Leidner. Estou aqui deitada... quase adormecida. Não demora... daqui a pouquinho... a porta vai-se abrir.

Continuei pensando nisso — como se estivesse hipnotizando a mim mesma.

— Agora são quase 13h30... está bem na hora... A porta vai-se abrir... *a porta vai-se abrir...* Vou ver quem entra...

Mantive os olhos pregados na porta. Dentro em pouco iria abrir-se. Havia de vê-la abrir-se. Havia de *vê-la* se abrindo. E veria *a pessoa que a abrira.*

Eu devia estar muito extenuada aquela tarde para imaginar que poderia solucionar o mistério desse jeito.

Mas de fato pensei que fosse. Uma espécie de arrepio me passou pela espinha, imobilizando-me as pernas. Pareciam dormentes — paralisadas.

— Você está entrando em transe — disse. — E nesse transe você verá...

E mais uma vez me punha a repetir, monotonamente:

— A porta vai-se abrir... a porta vai-se abrir...

A sensação gélida, entorpecente, se tornava cada vez mais intensa.

E aí então, vagarosamente, *vi que a porta começava a se abrir.* Foi horrível.

Jamais, antes ou depois, passei por experiência tão horripilante.

Fiquei estarrecida — totalmente gelada. Não podia mover-me. Juro por tudo quanto é mais sagrado que não me pude mover.

Aquela porta se abrindo devagar.

Sem o menor ruído.

Num instante eu veria...

Lentamente... lentamente... cada vez mais aberta.

Bill Coleman entrou sem ruído.

Deve ter levado o maior susto de sua vida!

Saltei da cama com um grito de pavor e me arremessei ao outro lado do quarto.

Ele ficou parado feito uma pedra, o rosto rosado de palerma ainda mais róseo, a boca muito aberta numa expressão de assombro.

— Olá, olá, olá — disse. — Que foi que houve, enfermeira?

Caí de repente na realidade.

— Puxa, Mr. Coleman — exclamei. — Que susto o senhor me deu!

— Desculpe — pediu, com um sorriso fugaz.

Percebi então que trazia um ramo de rainúnculos na mão. Eram umas flores bonitinhas que cresciam a esmo nas margens do Tell. Mrs. Leidner as apreciava muito.

Ele corou e ficou bem vermelho quando explicou:

— A gente não encontra nenhuma flor ou troço parecido em Hassanieh. Parecia até feio não haver flores no túmulo. Lembrei-me de dar um pulo aqui e botar um pequeno buquê naquele vaso que ela sempre usava com flores em cima da mesa. Só para mostrar que não fora esquecida... hã? Meio burro, reconheço, mas... ora... quero dizer...

Achei muito delicado da parte dele. Estava todo cor-de-rosa de tão encabulado, que nem os ingleses ficam quando fazem um gesto sentimental. Pareceu-me uma ideia extremamente bonita.

— Pois acho ótima a ideia, Mr. Coleman — declarei.

E apanhando o pequeno jarro, enchi-o com um pouco d'água e colocamos o ramo dentro.

Mr. Coleman subiu muito em meu conceito com esse gesto... Provou que tinha coração e bons sentimentos.

Não perguntou mais o que me levara a soltar aquele grito e me sinto grata por causa disso. Me sentiria uma idiota se tivesse de explicar.

"Pro futuro seja mais sensata, mulher", aconselhei a mim mesma endireitando os punhos e alisando o avental. "Você não foi talhada para esse negócio mediúnico."

Corri de um lado a outro, arrumando minhas coisas, e fiquei ocupada pelo resto do dia.

O padre Lavigny teve a gentileza de manifestar grande pesar pela minha partida, dizendo que minha boa disposição e sensatez tinham prestado um auxílio inestimável a todos. Sensatez! Ainda bem que ignorava o comportamento idiota que eu tivera no quarto de Mrs. Leidner.

— Não vimos M. Poirot hoje — comentou ele.

Contei-lhe que Poirot dissera que ia ficar o dia inteiro entretido em passar telegramas.

O padre Lavigny arqueou as sobrancelhas.

— Telegramas? Para América?

— Creio que sim. Ele disse "Para todo mundo!", mas acho que era exagero de estrangeiro.

E aí então enrubesci um pouco, me lembrando que o próprio padre Lavigny também era estrangeiro. Mas não pareceu ofender-se, limitando-se a rir de um jeito simpático e perguntando se não havia nenhuma notícia do sujeito estrábico.

Respondi que não sabia, o que não deixava de ser verdade.

O padre Lavigny tornou a indagar sobre a ocasião em que Mrs. Leidner e eu tínhamos visto o tal sujeito e como ele parecia estar na ponta dos pés, espiando pela janela.

— Não resta dúvida de que sentia interesse irresistível por Mrs. Leidner — observou, pensativo. — Às vezes penso se aquele homem não seria provavelmente algum europeu, disfarçado de iraquiano.

A ideia era nova e ponderei-a cuidadosamente. Fiara-me que fosse nativo, mas está claro que, pensando bem, eu me baseara mais no corte da roupa e na cor amarelada da pele.

O padre Lavigny comunicou sua intenção de ir lá fora, até o local onde Mrs. Leidner e eu havíamos visto o homem parado.

— Nunca se sabe, talvez tivesse deixado cair alguma coisa. Nos romances policiais o criminoso sempre deixa.

— Vai ver que na vida real os criminosos são mais precavidos — retruquei.

Peguei umas meias que acabara de cerzir e coloquei-as em cima da mesa do *living*, para que os homens separassem ao voltar do trabalho, e depois, como não houvesse praticamente mais nada a fazer, subi ao terraço.

Miss Johnson estava lá, de pé, mas não ouviu meus passos. Cheguei bem perto antes que notasse minha presença.

Muito antes, porém, percebi que havia alguma coisa de completamente anormal.

Ela se achava parada no meio do terraço, olhando fixo para a frente, com uma expressão de terror no rosto. Como se tivesse visto algo absolutamente incrível.

Não dá para descrever o impacto que senti. E note-se que eu a vira presa da maior aflição na outra noite; mas isso agora era totalmente diferente.

— Meu bem — exclamei, apressando-me em alcançá-la —, o que foi que aconteceu?

Ela virou a cabeça e ficou-me olhando — quase como se não me enxergasse.

— O que é? — insisti.

Fez uma espécie de careta esquisita — dir-se-ia que tentava engolir e a garganta estivesse seca demais.

—Acabei de ver uma coisa — respondeu com a voz rouca.

— O que foi que você viu? Conte. O que podia ser? Você parece exausta.

Procurou refazer-se mas ainda continuava com um aspecto positivamente assustador.

— *Vi como alguém pode entrar pelo lado de fora* — respondeu, sempre com aquela mesma voz pavorosamente abafada —, *sem que ninguém jamais percebesse.*

Segui a direção do seu olhar, porém não enxerguei nada.

Mr. Reiter se encontrava parado à porta do departamento de fotografias e o padre Lavigny ia justamente cruzando o pátio — mas era só.

Virei de frente, intrigada, e dei com os olhos dela pregados nos meus, com uma expressão estranhíssima.

— Francamente — disse eu —, não entendo o que você quer dizer. Não quer explicar?

Morte na Mesopotâmia

Ela, no entanto, sacudiu a cabeça.

— Agora não. Depois. Nós devíamos ter percebido. Oh, nós devíamos ter percebido!

— Mas por que não explica...

Tornou, porém, a sacudir a cabeça.

— Primeiro tenho de refletir um pouco.

E me empurrando para o lado, desceu a escada aos tropeções.

Não fui atrás porque era óbvio que não queria que eu fosse. Preferi sentar no parapeito, tentando decifrar aquele enigma. Mas não obtive nenhum resultado. Existia somente uma via de acesso ao pátio — pela arcada. Um pouco mais além, podia ver o garoto da água com seu cavalo e o cozinheiro indiano conversando com ele. Ninguém podia ter passado por eles e entrado sem ser pressentido.

Sacudi, perplexa, a cabeça e tornei a descer a escada.

24
O crime é um hábito

Naquela noite todos se recolheram cedo. Miss Johnson apareceu à hora do jantar, comportando-se mais ou menos da forma de costume. Tinha, entretanto, um olhar assustado e por uma ou duas vezes quase não conseguiu entender o que os outros lhe falavam.

Sob certo aspecto, o jantar não transcorreu de maneira satisfatória. É natural, pode-se dizer, que isso aconteça numa casa onde se realizou um enterro no mesmo dia. Contudo, sei a que me refiro.

Nossas refeições, ultimamente, se efetuavam em absoluto ou relativo silêncio, porém mesmo assim sempre num ambiente de franca camaradagem. Havia um sentimento de compaixão pela dor do dr. Leidner e uma sensação análoga a que experimentaríamos se fôssemos tripulantes do mesmo barco.

Mas nessa noite eu me lembrei da primeira refeição que fizera ali — quando Mrs. Mercado me observara e se registrara aquela estranha impressão de que podia ocorrer algo iminente.

Tinha sentido a mesma coisa — só que muito mais intensa — quando nos reuníramos em torno da mesa e Poirot ocupara a cabeceira.

Desta vez eu estava sentindo isso mais do que nunca. Todo mundo se achava tenso — nervoso — sobre brasas. Se alguém deixasse cair alguma coisa no chão, tenho certeza de que se ouviria um grito.

Como estava dizendo, todos se recolheram logo em seguida. Fui para a cama quase que imediatamente. A última coisa que escutei antes de pegar no sono foi a voz de Mr. Mercado dando boa noite a Miss Johnson bem diante de minha porta.

Adormeci rapidamente, extenuada de tantas atividades, sobretudo com minha ridícula experiência no quarto de Mrs. Leidner. Tive um sono pesado e sem sonhos durante várias horas.

Quando consegui acordar, me sobressaltei com a sensação de uma catástrofe indefinível. Um barulho qualquer me despertara e sentei na cama, à escuta, até ouvi-lo outra vez.

Era uma espécie de gemido horripilante — torturado, estrangulado.

Num abrir e fechar de olhos, acendi a vela e saltei da cama. Peguei também uma lanterna, caso o pavio se apagasse. Fui até a porta e fiquei escutando. Sabia que o gemido não vinha de longe. Fez-se ouvir novamente, no quarto contíguo ao meu, o de Miss Johnson.

Entrei correndo. Miss Johnson, caída na cama, retorcia o corpo todo em agonia. Ao largar a vela e me inclinar sobre ela, seus lábios se entreabriram, tentando falar — mas só emitiram um terrível sussurro rouco. Percebi que os cantos da boca e a pele do queixo estavam corroídos por uma espécie de brancura acinzentada.

Os olhos dela se fixaram num copo emborcado no chão, evidentemente onde tombara de sua mão. O tapete claro tinha uma mancha escarlate naquele lugar. Apanhei o copo e passei o dedo pelo interior, retirando logo a mão com brusca exclamação. Depois examinei por dentro a boca da coitada.

Não restava a menor dúvida sobre o que acontecera. De um jeito ou de outro, propositadamente ou não, ela ingerira certa quantidade de ácido corrosivo — oxálico ou clorídrico, suspeitava eu.

Saí depressa em busca do dr. Leidner, que acordou os outros, e fizemos tudo o que podíamos para salvá-la mas durante todo o tempo eu estava com a terrível sensação de que não adiantaria nada. Experimentamos uma forte solução de carbonato de sódio — completada com azeite de oliva. Para aliviar a dor, apliquei-lhe uma injeção de sulfato de morfina.

David Emmott foi buscar o dr. Reilly em Hassanieh, mas antes que chegassem sobreveio o desenlace.

Não vou entrar em pormenores. O envenenamento por forte solução de ácido clorídrico (que foi o que se constatou depois) é uma das mortes mais dolorosas que existem.

Quando me debrucei para lhe aplicar a dose de morfina, ela fez um esforço sobre-humano para falar mas só conseguiu emitir um horrível murmúrio estrangulado.

— *A janela* — disse. — *Enfermeira... a janela...*

Mas foi só — não pôde continuar a frase. Desfaleceu por completo.

Jamais esquecerei essa noite. A chegada do dr. Reilly. A chegada do capitão Maitland. E finalmente, ao romper do dia, Hercule Poirot.

Ele me tomou delicadamente pelo braço e me conduziu à sala de refeições, onde me obrigou a sentar e beber uma xícara de chá bem forte.

— Pronto, *mon enfant* — disse ele —, agora sim. A senhora está exausta.

Desatei a chorar.

— Que horror — solucei. — Até parece pesadelo. Que sofrimento horroroso. E os olhos dela... Oh, M. Poirot... os olhos dela...

Ele me bateu de leve no ombro. Uma mulher não se teria mostrado tão compreensiva.

— Sim, sim... não pense mais nisso. A senhora fez o possível.

— Era um ácido corrosivo.

— Uma forte solução de ácido clorídrico.

— Aquele que eles usam nos vasos?

— É. Miss Johnson provavelmente tomou-o antes de estar completamente acordada. Isto é... a menos que o tomasse de propósito.

— Oh, M. Poirot, que ideia horrível!

— Afinal de contas, é uma possibilidade. Que lhe parece?

Pensei um pouco e depois sacudi categoricamente a cabeça.

— Não acredito. Não acredito, não, de maneira alguma. — Hesitei e então expliquei: — Acho que ela descobriu alguma coisa ontem à tarde.

— Que foi que a senhora disse? Ela descobriu alguma coisa?

Repeti a estranha conversa que nós duas tivéramos.

Poirot deixou escapar um assobiozinho.

— *La pauvre femme!* — exclamou. — Ela disse que precisava refletir sobre o assunto... hã? Foi quando assinou a própria sentença de morte. Se ao menos tivesse falado... logo... naquela hora.

— Conte-me outra vez as palavras exatas dela — pediu.

Eu repeti.

— Ela viu como alguém poderia entrar pelo lado de fora sem que nenhum de vocês percebesse? Venha, *ma soeur*, vamos até o terraço pra senhora me mostrar exatamente onde ela estava parada.

Subimos ao terraço e indiquei a Poirot o lugar exato e a posição de Miss Johnson.

— Assim? — perguntou Poirot. — Agora, o que vejo? Metade do pátio... a arcada... e as portas da sala de desenho, do departamento de fotografias e do laboratório. Havia alguém no pátio?

— O padre Lavigny se dirigia à arcada e Mr. Reiter estava parado à porta do departamento de fotografias.

— No entanto não percebo, de jeito nenhum, como alguém possa entrar pelo lado de fora sem que nenhum de vocês saiba. Mas *ela* percebeu...

Finalmente desistiu, sacudindo a cabeça.

— *Sacré nom d'un chien... va!* O que *foi* que ela viu?

O sol começava a nascer. O céu oriental inteiro era uma orgia de rosa, amarelo e cinza pálido, orvalhado.

— Que aurora maravilhosa — exclamou Poirot, num sussurro.

À nossa esquerda o rio serpenteava a perder de vista, e o Tell se recortava imponente, numa cor dourada. Ao sul viam-se as árvores floridas e as plantações sossegadas. A roda hidráulica gemia à distância, um som fraco, irreal. Ao norte estavam os delicados minaretes e a alvura frágil, apinhada de Hassanieh.

Tudo de uma beleza incrível.

Foi então que, ao meu lado, ouvi Poirot soltar um longo e fundo suspiro.

— Tolo que eu fui — murmurou. — Quando a verdade está tão clara... tão clara.

25
Suicídio ou crime?

Não tive tempo de perguntar a Poirot o que ele queria dizer com aquilo, pois o capitão Maitland começou a chamar, pedindo que descêssemos.

Corremos escada abaixo.

— Olhe aqui, Poirot — disse ele. — Surgiu outra complicação. O tal monge sumiu.

— Padre Lavigny?

— É. Ninguém reparou até a pouco. Aí então alguém se deu conta de que ele era o único membro da expedição que não andava por aqui, e fomos até o quarto. A cama não tinha sido usada e não há rastro dele.

Tudo parecia um pesadelo. Primeiro a morte de Miss Johnson e agora o desaparecimento do padre Lavigny.

Os criados foram chamados e questionados mas não puderam lançar nenhuma luz sobre o mistério. Ele havia sido visto pela última vez por volta das oito horas da noite anterior. Depois dissera que ia sair para dar um passeio antes de deitar.

Ninguém o vira regressar do tal passeio.

A porta da arcada tinha sido fechada e trancada às nove, como sempre. Nenhum criado, entretanto, se lembrava de tê-la destrancado de manhã. Cada um dos dois copeiros pensava que o outro com certeza abrira.

Teria o padre Lavigny chegado a voltar para casa na véspera? Quem sabe se durante o primeiro passeio não descobrira alguma coisa de caráter suspeito e saíra mais tarde para investigá-la, sucumbindo talvez como a terceira vítima?

O capitão Maitland girou nos calcanhares quando o dr. Reilly surgiu com Mr. Mercado na retaguarda.

— Olá, Reilly. Apurou algo?

— Apurei. O troço é proveniente daqui do laboratório mesmo. Estive comparando as quantidades com Mercado. É ácido clorídrico sim.

— Do laboratório... hã? Estava fechado a chave?

Mr. Mercado sacudiu a cabeça. Tinha as mãos trêmulas e repuxava os músculos do rosto. Parecia um farrapo humano.

— Nunca foi preciso — balbuciou. — O senhor vê... atualmente... usamos a toda hora. Eu... ninguém jamais sonhou...

— Não fica trancado de noite?

— Fica... todas as peças ficam. Deixam-se as chaves penduradas logo atrás da porta do *living*.

— Portanto, se alguém tirasse a chave de lá, podia levar tudo.

Morte na Mesopotâmia

— Sim.

— E é uma chave perfeitamente comum, imagino?

— Ah, é.

— Não há nada que indique que ela própria tivesse apanhado o ácido no laboratório? — indagou o capitão Maitland.

— Não foi ela quem tirou — afirmei, categórica, em voz alta.

Senti um aperto de advertência no meu braço. Poirot se achava perto, atrás de mim.

E depois aconteceu uma coisa espantosa.

Espantosa, propriamente, não — apenas a incongruência a tornou pior do que realmente era.

Entrou um carro no pátio e de seu interior saltou um sujeito baixinho. Usava capacete contra o sol e impermeável grosso.

Encaminhou-se diretamente ao dr. Leidner, que estava parado junto do dr. Reilly, e apertou-lhe efusivamente a mão.

— *Vous voilà, mon cher* — exclamou. — Que prazer revê-lo. Passei por aqui sábado de tarde... a caminho dos italianos em Fugima. Fui às escavações mas não encontrei nenhum europeu por lá e, infelizmente, não sei falar árabe. Não deu tempo para vir até a casa. Hoje de manhã saí de Fugima às cinco... duas horas aqui com você... e depois pego o comboio. *Eh bien*, como vai indo a temporada?

Foi espantoso.

A voz eufórica, os modos casuais, toda a sanidade amena de um mundo cotidiano que agora ficara perdido na distância. Ele simplesmente chegara naquele alvoroço, não sabendo nada, não notando nada — cheio de ruidosa bonomia.

Não admira que o dr. Leidner ficasse inarticulado, boquiaberto e olhasse, em mudo apelo, para o dr. Reilly.

O médico se mostrou à altura da ocasião.

Levou o homenzinho (era um arqueólogo francês chamado Verrier, que escavava nas ilhas gregas, soube mais tarde) para um lado e explicou-lhe a situação.

Verrier ficou horrorizado. Também passara os últimos dias hospedado numa expedição italiana, longe da civilização, e não soubera das notícias.

Desmanchou-se em condolências e desculpas, aproximando-se finalmente do dr. Leidner e apertando-lhe calorosamente ambas as mãos.

— Que tragédia! Meu Deus, que tragédia! Não tenho palavras. *Mon pauvre collègue.*

E sacudindo a cabeça num derradeiro esforço baldado para manifestar seus sentimentos, o homenzinho entrou no carro e partiu.

Como disse, essa momentânea introdução de um elemento burlesco na tragédia parecia realmente mais hedionda do que tudo que a precedera.

— Agora — decidiu o dr. Reilly com firmeza —, vamos tomar café. Sim, eu insisto. Venha, Leidner, você precisa comer alguma coisa.

Pobre dr. Leidner! Estava quase um verdadeiro escombro. Acompanhou-nos à mesa, onde se registrou um silêncio fúnebre. Creio que o café quente e os ovos fritos fizeram bem a todos nós, apesar de que ninguém sentia realmente fome. O dr. Leidner tomou uma xícara e permaneceu sentado, brincando com o pão. Tinha o rosto cinzento, marcado pela dor e pelo aturdimento.

Terminado o café, o capitão Maitland passou aos fatos.

Expliquei como acordara, escutando um ruído esquisito, e fora ao quarto de Miss Johnson.

— Diz que encontrou um copo caído no chão?

— Sim. Ela decerto deixou cair depois de beber.

— Estava quebrado?

— Não, tinha caído em cima do tapete. (Creio que o ácido arruinou o tapete, por falar nisso.) Apanhei o copo e coloquei-o de novo sobre a mesa.

— Ainda bem que nos contou isso. Só há dois tipos de impressões digitais nele, e um certamente pertence a Miss Johnson. O outro deve ser seu.

Manteve-se um instante calado e depois pediu:

— Continue, por favor.

Descrevi minuciosamente o que sucedera e os métodos a que recorrera, olhando um tanto ansiosa para o dr. Reilly, em busca de apoio. Ele concordou com um aceno de cabeça.

— A senhora tentou tudo o que podia possivelmente ter adiantado de alguma coisa — afirmou.

E embora eu tivesse certeza de que havia procedido assim, senti um alívio ao ver minha crença confirmada.

— Sabia com exatidão o que ela tomara? — perguntou o capitão Maitland.

— Não... porém percebi, evidente, que era um ácido corrosivo.

— Na sua opinião, enfermeira, Miss Johnson ingeriu de propósito esse negócio? — a pergunta tinha um tom solene.

— Oh, não — exclamei. — Jamais supus tal coisa!

Não sei por que estava com tanta certeza. Creio que, em parte, por causa dos palpites de M. Poirot. Aquela frase, "o crime é um hábito", se gravara no meu espírito. E depois a gente não acredita com tanta facilidade que alguém vá cometer suicídio de um modo tão terrivelmente doloroso assim.

Foi o que eu falei, e o capitão Maitland assentiu, pensativo.

— Concordo que não é o que a gente escolheria — disse ele. — Mas se uma pessoa se achasse presa de grande inquietação e esse negócio estivesse à mão, podia ser usado por esse motivo.

— *Ela* se achava presa de grande inquietação? — retruquei, com ar de dúvida.

— Mrs. Mercado diz que sim. Disse que Miss Johnson parecia muito mudada durante o jantar de ontem... que custava a responder qualquer coisa que lhe falassem. Mrs. Mercado tem absoluta certeza de que Miss Johnson estava tremendamente inquieta por causa de alguma coisa e que a ideia de acabar consigo mesma já lhe ocorrera.

— Pois eu não acredito em nada disso — afirmei brus-camente.

Mrs. Mercado, ah é? Sorrateira gata malvada!

— Então o que *é* que a senhora acha?

— Acho que foi assassinada — não hesitei em afirmar.

A próxima pergunta veio rápida, enérgica. Até parecia que eu estava na sala da superintendente.

— Por que motivo?

— Creio que é, positivamente, a hipótese mais provável.

— Isso é apenas a sua opinião pessoal. Havia alguma razão para que a moça fosse assassinada?

— Queira desculpar, mas havia. Ela descobrira alguma coisa.

— Descobrira alguma coisa? O quê?

Repeti, palavra por palavra, a nossa conversa no terraço.

— Ela se recusou a lhe dizer que descoberta era?

— Sim. Disse que precisava de tempo para refletir.

— Mas ficou muito excitada com isso?

— Ficou.

— *Uma maneira de entrar pelo lado de fora.* — O capitão Maitland procurou a solução para aquilo, de testa franzida. — A senhora não faz a mínima ideia do que ela queria dizer?

— A mínima. Já pensei de tudo quanto foi jeito, sem conseguir encontrar a menor explicação.

— O que é que o senhor acha, M. Poirot?

— Acho que o motivo provável está aí mesmo.

— Para assassinato?

— Para assassinato.

O capitão Maitland franziu a testa.

— Ela não pôde falar antes de morrer?

— Pôde. Conseguiu articular apenas duas palavras.

— Quais foram?

— *A janela.*

— A janela? — repetiu o capitão Maitland. — A senho-ra entendeu o que significava?

Sacudi a cabeça.

— Quantas janelas tem o quarto?

— Só uma.

— Dando pro pátio?

— Sim.

— Estava aberta ou fechada?

— Aberta, ao que me lembro.

— Mas talvez um de vocês abriu?

— Não, esteve aberta o tempo todo. Fiquei imaginando... Parei.

— Continue, enfermeira.

— Examinei a janela, claro, mas não pude ver nada de anormal. Fiquei imaginando se, quem sabe, alguém não trocou os copos por ali.

— Trocar os copos?

— Sim. Não vê, Miss Johnson sempre levava um copo d'água pro quarto na hora de dormir. Creio que alguém deve ter trocado o copo, substituindo-o por outro que continha ácido.

— O que é que o senhor diz, dr. Reilly?

— Se for assassinato, essa é provavelmente a maneira que usaram — opinou prontamente o médico. — Nenhum ser humano normal, com razoável capacidade de observação, tomaria um copo de ácido pensando que fosse água... se estivesse de plena posse de suas faculdades conscientes. Mas se alguém tem o costume de beber água no meio da noite, essa pessoa poderia facilmente estender o braço, encontrar o copo no lugar de sempre e, estremunhada, virar de um gole a quantidade suficiente para que seja fatal, antes de perceber o que fez.

O capitão Maitland refletiu um instante.

— Terei de voltar para dar uma olhada naquela janela. A que distância ela fica da cabeceira da cama?

Calculei mentalmente.

— Espichando-se bem, dá para alcançar a mesinha da cabeceira.

— A mesa onde ficava o copo d'água?

— É.

— A porta estava trancada?

194   Agatha Christie

— Não.

— Portanto, seja lá quem fosse, podia ter entrado ali e feito a substituição.

— Oh, sim.

— Desse modo o risco seria maior — lembrou o dr. Reilly. — Uma pessoa que está dormindo profundamente muitas vezes acorda com o ruído de um passo. Se a mesa podia ser atingida da janela, seria a maneira mais segura.

— Não estou pensando somente no copo — observou o capitão Maitland, distraído.

Saindo daquele torpor, dirigiu-se a mim outra vez.

— Na sua opinião, quando a pobre moça sentiu que ia morrer ela ficou ansiosa para lhe dizer que alguém substituíra a água pelo ácido através da janela aberta? Não lhe parece que o *nome* da pessoa viria mais a calhar?

— Talvez não soubesse o nome — frisei.

— Não era mais provável que tentasse indicar o que havia descoberto na véspera?

— Quando a gente está morrendo, Maitland — interveio o dr. Reilly —, nem sempre conserva o senso das proporções. Um determinado fato pode perfeitamente obcecar o espírito. Que uma mão criminosa passasse pela janela talvez fosse o fato predominante para ela nesse momento. Talvez lhe parecesse importante comunicar isso aos outros. Na minha opinião, ela não estava longe da verdade, também. *Era* importante! Provavelmente percebeu logo que julgariam que se tratasse de suicídio. Se pudesse recuperar o domínio da língua, decerto diria: "Não foi suicídio. Não tomei de propósito. Alguém deve ter colocado o copo perto de minha cama *pela janela*."

O capitão Maitland tamborilou os dedos durante algum tempo, sem responder. Por fim declarou:

— Existem sem dúvida duas maneiras de encarar o caso. Ou é suicídio ou é crime. O que o senhor acha, dr. Leidner?

O dr. Leidner guardou silêncio um instante e finalmente respondeu, tranquila e terminantemente:

Morte na Mesopotâmia   195

— Crime. Anne Johnson não era a espécie de mulher que se suicidaria.

— Não — concedeu o capitão Maitland. — Não no curso normal das coisas. Mas talvez surgissem circunstâncias em que seria um gesto perfeitamente natural.

— Por exemplo?

O capitão Maitland curvou-se sobre um embrulho que, eu já notara anteriormente, tinha colocado ao lado de sua cadeira. Trouxe-o para cima da mesa com certo esforço.

— Tem uma coisa aqui que nenhum de vocês sabe — disse. — Nós encontramos isso debaixo da cama dela.

Desapertou o nó e depois abriu o pacote, revelando uma pesada mó ou trituradora.

Em si, nada significava — havia mais ou menos uma dúzia, descoberta durante as escavações.

O que prendeu nossa atenção nesse exemplar especial era uma mancha escura, sem brilho, e um pedaço de algo que se parecia com cabelo.

— É um trabalho para você, Reilly — disse o capitão Maitland. — Mas creio que não resta mais dúvida que foi este o instrumento com que mataram Mrs. Leidner!

26
A próxima serei eu

Foi horrível. O dr. Leidner parecia que ia desmaiar e eu também senti certa náusea.

O dr. Reilly examinou aquilo com prazer profissional.

— Nenhuma impressão digital, no mínimo? — sugeriu.

— Nenhuma.

O dr. Reilly tirou um par de fórceps da maleta e investigou delicadamente.

— Hum... um pedaço de tecido humano... e cabelo... cabelo bem louro. Este é o veredicto extraoficial.

Naturalmente, terei de fazer um exame apropriado, verificar o grupo sanguíneo etc., mas não resta mais dúvida. Encontrada debaixo da cama de Miss Johnson? Ora, vejam... quer dizer, então, que a ideia era *essa*. Ela cometeu o crime e depois, que Deus a perdoe, sentiu remorso e acabou com tudo. É uma hipótese... uma bela hipótese.

O dr. Leidner só sacudia, desamparado, a cabeça.

— Não Anne... não Anne — murmurou.

— Não sei onde ela escondeu isso, para começar — disse o capitão Maitland. — Todos os quartos foram revistados depois do primeiro crime.

De repente me ocorreu uma ideia e pensei, "no armário de artigos de papelaria", porém não ousei falar.

— Seja lá onde fosse, ficou insatisfeita com o esconderijo e levou para o próprio quarto, que fora revistado com todos os restantes. Ou talvez tenha feito isso depois de se resolver a cometer suicídio.

— Não acredito — afirmei em voz alta.

E de fato não podia acreditar que aquela simpática e bondosa Miss Johnson tivesse esmigalhado os miolos de Mrs. Leidner. Simplesmente não conseguia *visualizar* a cena! E no entanto realmente encaixava com certas coisas — seu ataque de choro aquela noite, por exemplo. Afinal de contas, eu mesma achara que era "remorso" — só que nunca julguei que fosse por qualquer outra coisa senão o mais insignificante dos crimes.

— Não sei o que pensar — declarou o capitão Maitland. — Há também o desaparecimento do padre francês para ser esclarecido. Meus auxiliares estão lá fora, dando busca, na hipótese que tenha levado uma pancada na cabeça e caído nalgum valo de irrigação propício.

— Oh! Agora me lembro... — comecei eu.

Todos me olharam com ar de expectativa.

— Foi ontem de tarde — expliquei. — Ele me andara interrogando sobre o sujeito estrábico que esteve espiando pela janela aquele dia. Perguntou o lugar exato em que ele

Morte na Mesopotâmia

ficara parado na senda e depois disse que ia sair para dar uma olhada. Comentou até que nos romances policiais o criminoso sempre esquecia uma pista oportuna.

— Diabos me levem se os meus criminosos fazem isso — retrucou o capitão Maitland. — Então era atrás disso que ele andava, é? Por Deus, será que encontrou *de fato* alguma coisa? É um pouco de coincidência se tanto ele como Miss Johnson descobriram uma pista sobre a identidade do assassino praticamente ao mesmo tempo. — E acrescentou, irritado: — Sujeito estrábico? Sujeito estrábico? Nessa história de estrabismo tem gato escondido. Não sei por que cargas d'água os meu ajudantes não conseguem pegá-lo.

— Vai ver que é porque ele não é estrábico — opinou Poirot calmamente.

— Acha que fingiu? Não sabia que se podia fingir uma coisa dessas.

— Um estrabismo pode ser muito útil — limitou-se a retrucar Poirot.

— Pode coisa nenhuma! Daria não sei quê para saber onde se meteu esse indivíduo, estrábico ou não!

— Quer um palpite? — perguntou Poirot. — Já cruzou a fronteira síria.

— Prevenimos Tell Kotchek e Abu Kemal... todos os postos da fronteira, para dizer a verdade.

— Imagino que tomasse o caminho das montanhas. O que os caminhões às vezes tomam quando passam contrabando.

O capitão Maitland resmungou.

— Então não seria melhor telegrafarmos a Deir ez Zor?

— Foi o que fiz ontem... prevenindo que cuidassem de um carro com dois homens cujos passaportes estão na mais perfeita ordem.

O capitão Maitland agraciou-o com um olhar de assombro.

— Foi o que *fez*, é? Dois homens... hã?

Poirot assentiu.

— Há dois homens nesse caso.

— Tenho a impressão, M. Poirot, de que o senhor anda com uma série de trunfos escondidos.

Poirot sacudiu a cabeça.

— Não — respondeu. — Sinceramente. Só hoje de manhã compreendi a verdade, quando assistia ao nascer do sol. Um nascer do sol muito bonito, por sinal.

Não creio que nenhum de nós tivesse percebido a presença de Mrs. Mercado na sala. Decerto entrara furtivamente enquanto contemplávamos espantados aquela horrível pedra grande manchada de sangue.

De repente, porém, sem o menor aviso, ela se pôs a fazer um barulho que lembrava um porco ao ser degolado.

— Ai, meu Deus! — gritava. — Já entendi tudo. Agora entendo tudo. *Foi o padre Lavigny*. Ele é louco... um maníaco religioso. Acha que as mulheres são pecaminosas. *Está matando todas elas*. Primeiro Mrs. Leidner... depois Miss Johnson. E a próxima serei *eu*!

Com um berro de desespero, atirou-se ao outro lado da sala e se agarrou ao paletó do dr. Reilly.

— Eu não vou ficar aqui, está ouvindo? Não fico mais nem um dia. É perigoso. Há perigo em tudo quanto é canto. Ele está escondido nalgum lugar... esperando a hora. Vai saltar em cima de mim!

Abriu a boca e recomeçou o berreiro.

Corri para junto do dr. Reilly, que a prendera pelos pulsos. Apliquei-lhe um sonoro par de bofetadas e, com a ajuda do médico, forcei-a a sentar numa cadeira.

— Ninguém vai matá-la — falei. — Nós não deixaremos. Sente aqui e comporte-se direito.

Parou de gritar. Fechou a boca e ficou ali, olhando para mim de olhos arregalados, feito boba.

Depois houve outra interrupção. A porta se abriu e Sheila Reilly entrou.

Estava pálida e séria. Encaminhou-se diretamente a Poirot.

— Passei de manhã cedo pelo correio, M. Poirot — disse ela —, e encontrei este telegrama pro senhor... por isso resolvi trazer logo.

— Obrigado, Mademoiselle.

Tomou-o de suas mãos e abriu-o, enquanto ela lhe observava a reação.

Não moveu nenhum músculo facial. Leu o telegrama, alisou o papel, dobrou-o cuidadosamente e guardou-o no bolso.

Mrs. Mercado não despregara as vistas dele.

— É... da América? — perguntou, com voz estrangulada. Ele sacudiu a cabeça.

— Não, Madame — respondeu. — É de Túnis.

Ela fitou-o fixamente um instante como se não entendesse e, depois, com profundo suspiro, recostou-se no assento.

— O padre Lavigny — disse ela. — Eu *sabia*. Sempre achei que havia algo esquisito a respeito dele. Uma vez se saiu com umas coisas... no mínimo é doido... — houve uma pausa e depois acrescentou. — Vou ficar calada. Mas *tenho* de ir embora deste lugar. Joseph e eu podemos ir dormir na Casa de Repouso.

— Calma, Madame — recomendou Poirot. — Já explicarei tudo.

O capitão Maitland estava olhando para ele com ar de curiosidade.

— Crê que encontrou definitivamente a explicação deste caso? — perguntou.

Poirot fez uma reverência.

O gesto não podia ser mais teatral. Tenho a impressão de que o capitão Maitland se irritou um bocado com aquilo.

— Pois então desembuche logo, homem! — vociferou.

Mas isso não estava de acordo com o estilo de Hercule Poirot. Vi, com toda a nitidez, que pretendia fazer uma verdadeira encenação. Fiquei imaginando se realmente *sabia* a verdade, ou se não estaria apenas tentando se exibir.

Ele se virou para o dr. Reilly.

— Quer ter a bondade de mandar chamar os outros, dr. Reilly?

O dr. Reilly, todo prestativo, deu um pulo e saiu correndo. Em questão de poucos minutos, os demais membros
da expedição começaram a entrar em fila na sala. Primeiro
Reiter e Emmott. Depois Bill Coleman. Em seguida, Richard Carey e, finalmente, Mr. Mercado.

O coitado parecia literalmente nas últimas. Suponho
que estivesse morto de medo de levar uma severa repreen-
são por seu descuido em deixar produtos químicos peri-
gosos ao alcance de qualquer um.

Todo mundo sentou ao redor da mesa, de um modo
bastante semelhante ao dia da chegada de M. Poirot. Tanto Bill Coleman como David Emmott meio que hesi-
taram antes de sentar, olhando rapidamente para Sheila
Reilly. Ela ficou em pé de costas para ambos, olhando
pela janela.

— Quer uma cadeira, Sheila? — perguntou Bill.

— Por que não senta? — convidou David Emmott
com sua voz simpática, carregada de sotaque.

Ela então se virou, demorando-se um instante em fitá-
-los. Cada um indicava uma cadeira, empurrando-a para a
frente. Fiquei a imaginar qual que ela aceitaria.

No fim não aceitou nem uma nem outra.

—Vou ficar aqui — respondeu bruscamente.

E sentou na beira de uma mesa vizinha à janela.

— Isto é — acrescentou —, se o capitão Maitland não
se importar com minha presença.

Não tenho muita certeza do que o capitão Maitland
teria dito. Poirot se antecipou.

— Fique, por favor, Mademoiselle — pediu. — Realmente, é indispensável que fique.

Ela arqueou as sobrancelhas.

— Indispensável?

— Foi a palavra que usei, Mademoiselle. Terei de lhe
fazer algumas perguntas.

Suas sobrancelhas se arquearam novamente mas não
disse mais nada. Virou o rosto para a janela, como se estivesse determinada a ignorar o que se passava na sala.

Morte na Mesopotâmia 201

— E agora — declarou o capitão Maitland —, vamos ver se sabemos a verdade!

Falava com certa impaciência. Era essencialmente um homem de ação. Naquele momento exato, tive certeza de que ansiava por estar lá fora, fazendo coisas: dirigindo a busca do cadáver do padre Lavigny ou senão enviando patrulhas para capturá-lo e prendê-lo.

Fitava Poirot com uma expressão que tinha qualquer coisa de aversão:

— Se este miserável tem algo a dizer, por que não diz de uma vez?

Eu podia ver as palavras na ponta de sua língua.

Poirot lançou um demorado olhar de apreciação a todos e depois se levantou.

Sei lá o que eu esperava que dissesse — qualquer coisa dramática, no mínimo. Era bem o estilo dele.

Mas certamente não imaginava que fosse começar por uma frase em árabe.

No entanto foi o que aconteceu. Pronunciou as palavras devagar, com a máxima solenidade, e de uma forma totalmente religiosa, se é que me faço entender.

"*Bismillahi ar rahman ar rahim.*"

E depois traduziu para nós.

"Em nome de Alá, o Clemente, o Misericordioso."

27
O começo de uma viagem

"*Bismillahi ar rahman ar rahim.*" Essa é a frase que os árabes usam antes de começar uma viagem. *Eh bien*, nós também vamos começar uma. Uma viagem ao passado. Aos estranhos recônditos da alma humana.

Não creio que até aquele momento eu jamais houvesse experimentado o tão famoso "fascínio do Oriente". A impressão que me dera, francamente, era de *bagunça* por

202   Agatha Christie

toda a parte. Mas de repente, com as palavras de M. Poirot, uma espécie de visão esquisita parecia avolumar-se diante de meus olhos. Pensei em palavras como *Samarkand* e *Ispahan* — e em mercadores de barbas longas — e camelos ajoelhados — e carregadores cambaleantes, transportando fardos enormes às costas, presos por uma corda em volta da testa — e mulheres com o cabelo tingido de hena e tatuagens no rosto, agachadas às margens do Tigre lavando roupa, e ouvi seus cânticos, estranhos lamentos e o gemido distante da roda hidráulica.

Eram, na maior parte, coisas que eu tinha visto e ouvido sem achar muita graça. Agora, porém, não sei como, pareciam *diferentes* — que nem um pedaço de pano velho e antiquado que se põe na luz e de repente se percebe o colorido maravilhoso de um bordado antigo.

Depois olhei em torno da sala em que nos encontrávamos e tive a curiosa sensação de que M. Poirot acertara em cheio — *estávamos* todos começando uma viagem. Podíamos naquela ocasião estar juntos, mas iríamos tomar rumos completamente opostos.

E fitei cada um como se, por assim dizer, o estivesse vendo pela primeira — *e* pela última vez — o que parece tolice, embora fosse exatamente assim que eu me sentia.

Mr. Mercado retorcia os dedos, nervoso — seus estranhos olhos claros, com as pupilas dilatadas, não se desviavam de Poirot. Mrs. Mercado fitava o marido. Tinha um olhar bizarro, vigilante, como o de um tigre, pronto para dar o bote. O dr. Leidner parecia ter encolhido de uma maneira incrível. Esse último golpe simplesmente o deixara arrasado. Podia-se quase dizer que não se encontrava absolutamente na sala. Estava noutro lugar, longínquo, inexpugnável. Mr. Coleman encarava Poirot de frente. Tinha a boca ligeiramente entreaberta e os olhos protuberantes. Dava impressão de ser quase idiota. Mr. Emmott contemplava a ponta dos sapatos e não pude ver direito o seu rosto. Mr. Reiter ficara perplexo. Espichara o lábio inferior com ar de amuado, o que o tornava, mais do que nunca, semelhante a um porquinho simpático e limpo. Miss Reilly não tirava os olhos da janela. Não sei o que estaria pensando ou sentindo. Depois me virei para Mr. Carey e, de certo modo, me deu um aperto no coração e tive de mudar de direção. Lá estávamos, todos nós. E, por um motivo qualquer, fiquei certa de que, depois que M. Poirot encerrasse a reunião, partiríamos todos para lugares totalmente diferentes.

Era uma sensação esquisita.

A voz de Poirot prosseguiu calmamente. Assemelhava-se a um rio correndo tranquilo entre as margens, rumo ao mar.

— Desde o início eu achei que para compreender este caso devia-se procurar não os indícios e pistas externos, mas os mais verdadeiros, do conflito de personalidades e dos segredos do coração. E posso adiantar que, embora tenha presentemente chegado ao que acredito ser a autêntica solução do caso, *não disponho de nenhuma prova material do que afirmo. Sei* que é assim, porque é *preciso* que seja assim, pois *de nenhum outro modo* cada fato isolado pode vir a ocupar seu lugar estabelecido na ordem das coisas. E essa, a meu ver, é a solução mais satisfatória que existe.

Fez uma pausa e depois continuou.

—Vou começar minha viagem pelo momento em que tomei conhecimento do caso... quando me foi apresentado como fato consumado. Ora, todo caso, na minha opinião, tem *contorno e forma* definidos. A configuração deste, no meu entender, girava exclusivamente em torno da personalidade de Mrs. Leidner. *Antes que eu soubesse exatamente que espécie de mulher ela era*, não poderia saber por que fora assassinada nem quem a assassinara.

"Esse, portanto, foi o meu ponto de partida... a personalidade de Mrs. Leidner.

"Havia também outro ponto de interesse psicológico... o curioso estado de tensão descrito como existente entre os membros da expedição. Isso foi declarado por várias testemunhas diferentes... algumas até estranhas à casa...

e que, mesmo que dificilmente pudesse ser considerado como ponto de partida, deveria, contudo, ser levado em conta durante minhas investigações.

"A ideia aceita parecia indicar que era o resultado direto da influência de Mrs. Leidner sobre os membros da expedição, mas, por motivos que mais adiante explicarei, isso não me parecia inteiramente aceitável.

"Para começar, como disse, me concentrei única e exclusivamente na personalidade de Mrs. Leidner. Tive vários meios de avaliar essa personalidade. Havia as reações que provocara em certo número de pessoas, todas diferindo enormemente em caráter e temperamento, e havia o que eu podia recolher por minha própria observação. O campo de ação dessa última era, naturalmente, limitado. Porém *consegui* apurar certos fatos.

"Mrs. Leidner possuía gostos simples e até mesmo austeros. Não se tratava, evidentemente, de uma sibarita. Em compensação, os bordados que fazia revelavam extrema finura e beleza. O que indicava uma mulher de propensões exigentes e artísticas. Vendo os livros que tinha no quarto, formei um retrato ainda mais completo. Era inteligente e calculei também que fosse, no fundo, egoísta.

"Tentaram persuadir-me de que Mrs. Leidner era uma criatura cuja principal preocupação seria atrair o sexo oposto... que era, em suma, uma mulher sensual. Não acreditei que esse fosse o caso.

"No quarto dela eu notei os seguintes livros, numa prateleira: *Quem eram os gregos?, Introdução à relatividade, A vida de Lady Hester Stanhope, A volta a Matusalém, Linda Condon* e *O trem de Crewe*.

"Mostrava, para começar, interesse pela cultura e pela ciência moderna — ou seja, um lado nitidamente intelectual. Entre os romances, *Linda Condon* e, em grau menor, *O trem de Crewe* pareciam indicar que Mrs. Leidner sentia simpatia e interesse pela mulher independente... desimpedida ou livre das armadilhas masculinas. Estava também obviamente interessada na personalidade de Lady Hester

Stanhope. *Linda Condon* é um estudo requintado de narcisismo feminino. O *trem de Crewe* é um estudo de um individualista exacerbado. *A volta a Matusalém* simpatiza mais com a atitude intelectual perante a vida do que com a sentimental. Achei que começava a compreender a morta.

"Em seguida analisei as reações dos que formavam o círculo de relações imediatas de Mrs. Leidner... e o meu retrato ficou cada vez mais completo.

"Tornava-se evidente, através das descrições do dr. Reilly e outros, que Mrs. Leidner era uma dessas mulheres dotadas pela natureza não apenas de beleza, mas com o tipo de magia calamitosa que às vezes acompanha a beleza e pode, até, existir independente dela. Essas criaturas, geralmente, deixam um rastro de acontecimentos violentos por onde passam. Provocam desastre... às vezes para os outros... às vezes para si mesmas.

"Convenci-me de que Mrs. Leidner era uma mulher que essencialmente adorava *a si mesma* e que gostava, acima de tudo, da sensação de *poder*. Onde quer que se encontrasse, *tinha* de ser o centro do universo. E todas as pessoas que a cercassem, homens ou mulheres, viam-se obrigadas a reconhecer a preponderância dela. Com algumas era fácil. A enfermeira Leatheran, por exemplo, que é uma pessoa de índole generosa, de imaginação romântica, ficou imediatamente cativada e cedeu, de maneira incondicional, sua total admiração. Havia, porém, uma maneira pela qual Mrs. Leidner exercia esse domínio... pelo medo. Onde a conquista provava ser fácil demais, entregava-se a um aspecto mais cruel de seu caráter... mas desejo reiterar, enfaticamente, que não se trata do que se pode chamar de crueldade *consciente*. Era tão natural e irrefletido quanto a conduta de um gato com um rato. Onde entrava a consciência, era intrinsecamente bondosa e muitas vezes seria capaz de perder o próprio tempo para demonstrar bondade e consideração com criaturas alheias.

"Ora, é claro que o primeiro, e mais importante, problema a resolver seria o das cartas anônimas. Quem as escrevera e por quê? Perguntei a mim mesmo, teriam sido escritas pela *própria* Mrs. Leidner?

"Para responder esse problema, tornou-se necessário retroceder muito no tempo... voltar, de fato, à data do primeiro casamento de Mrs. Leidner. É aqui que começamos, propriamente, nossa viagem. A viagem pela vida de Mrs. Leidner.

"Antes de mais nada, devemos compreender que a Louise Leidner de todos esses anos de outrora é, essencialmente, a mesma Louise Leidner da época atual.

"Era então moça, de beleza excepcional... essa mesma beleza assombrosa que abala o espírito e os sentidos de um homem como nenhuma simples beleza material é capaz... e já era, essencialmente, egoísta.

"As mulheres desse tipo se rebelam naturalmente contra a ideia do casamento. Podem sentir atração por homens, porém preferem pertencer a si mesmas. São, verdadeiramente, *La Belle Dame sans Merci* da lenda. Entretanto Mrs. Leidner *casou*... e podemos supor, a meu ver, que o marido deve ter tido uma certa força de caráter.

"Depois sobrevém a revelação de suas atividades de traidor, e Mrs. Leidner procede da maneira que contou pra enfermeira Leatheran. Informa ao Governo.

"Agora, proponho eu, houve um significado psicológico para esse gesto. Ela disse à enfermeira Leatheran que era moça muito patriota, idealista e que esses sentimentos a levaram à ação. Mas é fato notório que somos propensos a nos iludir quanto aos motivos de nossas próprias ações. Escolhemos, instintivamente, os motivos mais lisonjeiros. Mrs. Leidner talvez acreditasse que tivesse sido movida pelo patriotismo mas também creio que isso constituiu realmente o resultado de um desejo inconsciente de se livrar do marido! Não gostava de ser dominada... detestava a sensação de pertencer a outra pessoa... em suma, odiava permanecer em segundo plano. Adotou uma forma patriótica de recuperar a liberdade.

"Contudo, o íntimo de sua consciência via-se devorado por um sentimento de culpa, destinado a desempenhar importante papel no futuro dela.

"Chegamos agora diretamente à questão das cartas. Mrs. Leidner era extremamente atraente ao sexo forte. Por diversas vezes sentiu-se atraída por homens... mas a cada nova oportunidade uma carta ameaçadora desempenhava sua função e o caso não se concretizava.

"Quem escrevia essas cartas? Frederick Bosner, seu irmão William ou *a própria Mrs. Leidner*?

"A hipótese é perfeitamente viável para cada teoria. Parece-me evidente que Mrs. Leidner era dessas mulheres que inspiram mesmo paixões masculinas abrasadoras, o tipo de devoção que pode virar obsessão. Acho bastante possível acreditar em um Frederick Bosner, para quem Louise, a esposa, importasse mais do que tudo no mundo! Ela o traíra uma vez e ele não ousava mais aproximar-se abertamente, mas estava determinado ao menos a torná-la sua ou de mais ninguém. Preferia vê-la morta do que pertencendo a outro homem.

"Mrs. Leidner, por sua vez, se sentisse, bem no íntimo, qualquer repulsa em formar um vínculo conjugal, é possível que adotasse essa maneira de sair de situações delicadas. Era uma caçadora que, abatida a presa, perdia todo o interesse por ela. Necessitando de drama para viver, inventou um extremamente satisfatório... um marido ressuscitado, impedindo os proclamas! Satisfazia seus instintos mais profundos. Transformava-se numa figura romântica, heroína trágica, e evitava novos casamentos.

"Essa situação perdurou vários anos. Toda vez que surgia a mínima possibilidade de casamento... chegava uma carta ameaçadora.

"*Mas agora chegamos a um ponto realmente interessante.* Surge em cena o dr. Leidner... e não chega nenhuma carta proibitiva. Nada a impede de se tornar Mrs. Leidner. É só *depois* do casamento que chega uma carta.

"É de se perguntar logo... por quê?

"Examinemos cada hipótese separadamente.

"*Se* a própria Mrs. Leidner escreveu as cartas, o problema se explica facilmente. Mrs. Leidner *queria* de fato casar com dr. Leidner. E portanto *casou*. Mas nesse caso, *por que escreveu uma carta mais tarde?* A necessidade de drama que sentia seria forte demais para ser sufocada? E por que apenas aquelas duas cartas? Depois disso nenhuma outra foi recebida até um ano e meio atrás.

"Agora tomemos a segunda teoria, segundo a qual as cartas foram escritas pelo primeiro marido, Frederick Bosner (ou pelo irmão). Por que a carta ameaçadora chegou *depois* do casamento? É de se presumir que Frederick não *quisesse* que ela casasse com Leidner. Por que, então, não impediu o casamento? Tinha procedido assim com o maior sucesso em ocasiões anteriores. E por que, *tendo esperado a realização do casamento*, recomeçou, então, as ameaças?

"A resposta, insatisfatória, é que, em virtude de um contratempo qualquer, não pôde protestar mais cedo. Talvez estivesse preso ou viajando pelo exterior.

"A seguir devemos considerar a tentativa de envenenamento a gás. Parece extremamente improvável que fosse causada por agente externo. Os possíveis responsáveis por essa encenação seriam os próprios dr. e Mrs. Leidner. Aparentemente não há motivo concebível para que o dr. Leidner fizesse tal coisa, portanto somos levados à conclusão de que Mrs. Leidner planejou-a e levou-a a cabo, pessoalmente.

"Por quê? Mais drama?

"Depois disso, o dr. e Mrs. Leidner embarcam pro estrangeiro e durante 18 meses levam uma vida feliz, sossegada, sem nenhuma ameaça de morte para atrapalhar. Atribuem esse fato a terem dissimulado, com êxito, o próprio rastro. Mas tal explicação é completamente absurda. Hoje em dia, uma viagem ao exterior é pouco apropriada para essa finalidade. Sobretudo no caso dos Leidner. Ele era o diretor de uma expedição científica. Informando-se no museu, Frederick Bosner teria logo obtido o endereço

Morte na Mesopotâmia 209

exato. Mesmo admitindo que não dispusesse de fundos necessários para perseguir o casal pessoalmente, não encontraria empecilho para continuar a remeter as cartas ameaçadoras. E me parece que um homem obcecado como ele não hesitaria em fazer isso.

"Em vez disso, não se tem mais notícias dele até quase dois anos mais tarde, quando recomeçam as cartas.

"*Por que* recomeçaram as cartas?

"Eis uma pergunta bem difícil... respondida com a maior facilidade ao dizer que Mrs. Leidner sentia-se entediada e precisava de mais drama. Eu, porém, não me contento com tão pouco. Essa forma particular de drama me causou a impressão de ser meio vulgar e grosseira demais para combinar com a personalidade exigente dela.

"A única coisa que me restava fazer era manter aberta a questão.

"Havia três possibilidades definidas. Primeira: as cartas foram escritas pela própria Mrs. Leidner; segunda: foram escritas por Frederick Bosner ou pelo jovem William Bosner; terceira: podiam ter sido escritas, *originariamente*, tanto por Mrs. Leidner como pelo primeiro marido, porém agora eram *falsificações*... ou seja, estavam sendo escritas por uma *terceira* pessoa, ciente das cartas anteriores.

"Chego agora à consideração direta da comitiva de Mrs. Leidner.

"Examinei primeiramente as oportunidades concretas que cada membro da expedição havia tido para cometer o crime.

"De modo geral, à primeira vista, *qualquer um* podia tê-lo cometido, sob o ponto de vista de oportunidade, com a exceção de três pessoas.

"O dr. Leidner, por unanimidade de testemunhos, nunca desceu do terraço. Mr. Carey estava de plantão nas obras. Mr. Coleman foi para Hassanieh.

"Só que esses álibis, meus amigos, não eram *tão* bons quanto pareciam. Exceto o do dr. Leidner. Não há absolutamente dúvida alguma de que ele permaneceu no terraço o tempo todo e que não desceu senão cerca de uma hora e 15 minutos depois que o crime se consumara.

"Mas seria *exato* que Mr. Carey houvesse permanecido o tempo todo nas obras?

"E Mr. Coleman, *estaria de fato em Hassanieh* na hora em que ocorreu o crime?"

Bill Coleman avermelhou, abriu a boca, tornou a fechá-la e olhou apreensivo ao redor de si.

A expressão de Mr. Carey não se modificou.

Poirot seguiu adiante, calmamente.

— Também levei em conta outra pessoa que, eu me convenci, seria perfeitamente capaz de cometer um crime *se atingisse o rancor suficiente*. Miss Reilly tem coragem, inteligência e uma certa tendência para crueldade. Quando me falou sobre a morta, eu lhe disse, brincando, que esperava que ela tivesse um álibi. Creio que Miss Reilly teve então consciência de que, pelo menos no íntimo, sentira vontade de matar. De qualquer modo, me pregou imediatamente uma mentira muito tola e inútil. Respondeu que tinha estado jogando tênis aquela tarde. No dia seguinte, numa conversa casual com Miss Johnson, eu soube que, em vez de jogar tênis, Miss Reilly *estivera perto desta casa na hora do crime*. Ocorreu-me que, mesmo que Miss Reilly não fosse a culpada, poderia prestar alguma informação valiosa.

Parou e depois pediu, tranquilamente:

— Quer contar-nos, Miss Reilly, o que foi que *viu* naquela tarde?

A moça não respondeu logo. Continuou olhando para fora da janela sem virar a cabeça, e quando falou foi numa voz neutra e comedida.

— Fui a cavalo até as escavações depois do almoço. Devia ser mais ou menos 13h45 quando cheguei.

— Encontrou algum de seus amigos por lá?

— Não, parecia que não tinha ninguém, a não ser o capataz árabe.

— Não viu Mr. Carey?

— Não.

— Curioso — disse Poirot. — M.Verrier também não o encontrou quando passou por lá aquela tarde.

Olhou de modo interrogativo para Carey, que não se moveu nem retrucou.

— Não tem nenhuma explicação, Mr. Carey?

— Fui dar uma volta. Não estava havendo nada de especial.

— Que direção o senhor tomou?

— A da margem do rio.

— Não voltou para casa?

— Não.

— Imagino — interveio Miss Reilly —, que estivesse esperando por alguém que não apareceu.

Ele olhou para ela, porém não respondeu.

Poirot não insistiu no assunto. Falou outra vez com a moça.

— Não viu mais nada, Mademoiselle?

— Vi, sim. Eu não estava longe da casa da expedição quando notei a camioneta parada ao lado de um riacho. Achei meio esquisito. Depois enxerguei Mr. Coleman. Caminhava de cabeça baixa, como se estivesse procurando alguma coisa.

— Escute aqui — explodiu Mr. Coleman. — Eu...

Poirot interrompeu-o com um gesto imperioso.

— Espere. Chegou a falar com ele, Miss Reilly?

— Não, não falei.

— Por quê?

— Porque, de vez em quando, ele parava e olhava em volta, de um jeito incrivelmente furtivo. Aquilo... me deu uma sensação desagradável. Puxei a rédea do cavalo e me afastei. Creio que não me viu. Eu não estava muito perto e ele se concentrava no que fazia.

— Olhe aqui — Mr. Coleman não conseguiu ficar calado por mais tempo. — Tenho uma explicação perfeitamente plausível... eu reconheço... que parece um tanto suspeito. Para dizer a verdade, na véspera eu havia metido um ótimo cilindro de lacre no bolso do paletó, em vez de guardá-lo no depósito de antiguidades... e esqueci por completo. E depois descobri que decerto tinha caído do bolso, pois não encontrei mais... devia ter perdido nalgum lugar. Não queria provocar atritos por causa disso e resolvi dar uma boa busca sem que ninguém percebesse. Estava quase certo de que deixara cair no percurso de ida ou volta das escavações. Fiz às pressas o que devia fazer em Hassanieh, mandei um *walad* comprar o que era preciso e regressei mais cedo. Estacionei a camioneta num lugar discreto e fiquei procurando durante mais de uma hora. E nem assim encontrei o maldito troço! Aí então subi na camioneta e me dirigi para casa. Naturalmente todos pensaram que eu acabara de chegar.

— E não quis desenganá-los? — perguntou suavemente Poirot.

— Ora, naquelas circunstâncias, era até natural, não lhe parece?

— Francamente não concordo — retrucou Poirot.

— Ah, o que é isso?... não se meta em apuros... é o *meu* lema! Mas não me pode acusar de nada. Nunca entrei no pátio, e não há de encontrar ninguém que afirme o contrário.

— Essa, é claro, tem sido a dificuldade — afirmou Poirot. — O testemunho dos empregados de que *ninguém entrou no pátio pelo lado de fora*. Depois, porém, refletindo, me ocorreu que *não* foi isso realmente o que eles disseram. Juraram que *nenhum desconhecido* entrara nas dependências do prédio. Ninguém lhes perguntou *se algum membro da expedição* havia feito o mesmo.

— Pois então pergunte — sugeriu Coleman. — Macacos me mordam se viram a mim ou Carey, também.

— Ah! Mas isso levanta um problema interessante. Eles, sem dúvida, notariam um *desconhecido*... mas chegariam a *notar* um membro da expedição? Todos entram e saem por ali qualquer hora do dia. Os empregados dificilmente prestariam atenção a essas idas e vindas. É possível, a meu ver, que tanto Mr. Carey como Mr. Coleman *pudessem* ter entrado sem que a observação dos empregados registrasse qualquer lembrança do fato.

— Conversa fiada! — exclamou Mr. Coleman.

— Dos dois — prosseguiu Poirot na maior calma —, creio que Mr. Carey tinha menos possibilidade de ser visto saindo ou entrando. Mr. Coleman partira de carro para Hassanieh de manhã e esperariam que regressasse do modo idêntico. Sua chegada a pé despertaria, pois, atenção.

— Lógico que despertaria! — exclamou Coleman.

Richard Carey ergueu a cabeça. Fixou os profundos olhos azuis diretamente em Poirot.

— Está-me acusando de assassinato, M. Poirot? — perguntou.

Mantinha a mais perfeita serenidade mas havia qualquer coisa de perigoso no tom de sua voz.

Poirot curvou-se para ele.

— Por enquanto estou apenas levando todos vocês numa viagem... a minha viagem rumo à verdade. A essa altura eu já estabelecera um fato... que todos os membros da expedição, inclusive a enfermeira Leatheran, podiam *realmente* ter cometido o crime. Que não houvesse quase nenhuma probabilidade de alguns o cometerem, tinha interesse secundário. Já examinara os *meios* e *oportunidades*. Então passei ao *motivo*. Descobri que *todos, sem exceção, possuíam um*!

— Oh, M. Poirot! — exclamei. — Menos *eu*! Eu era uma desconhecida. Tinha recém-acabado de chegar.

— *Eh bien, ma soeur*, e não era *justamente isso que Mrs. Leidner* temia? Um *desconhecido*, de *fora*?

— Mas... mas... Ora, o dr. Reilly sabia de tudo a meu respeito! Foi ele quem sugeriu que eu viesse!

— Até que ponto ele sabia a seu respeito? *Praticamente o que a senhora mesma lhe contou*. Não seria a primeira vez que impostores se disfarçam de enfermeiras de hospital.

— O senhor pode escrever ao St. Christopher — comecei.

— Quer fazer o favor de guardar silêncio por um instante? É impossível continuar enquanto a senhora insiste nessa discussão. Não digo que a considere suspeita *atualmente*. O que eu afirmo é que, deixando aberta a questão, a senhora podia facilmente ser outra pessoa além da que fingia ser. Não sei se sabe, mas há muito travesti masculino perfeito por aí. O jovem William Bosner podia talvez recorrer a esse expediente.

Estive prestes a lhe revelar francamente o que pensava daquela ideia. Travesti masculino, pois sim! Mas ele levantou a voz e se apressou a seguir com tal determinação que tive de desistir.

— Agora vou usar de toda a franqueza... serei mesmo brutal. É necessário. Não pretendo deixar pedra sobre pedra neste lugar.

"Examinei e considerei individualmente cada morador desta casa. Para começar pelo dr. Leidner, logo me convenci de que o amor que sentia pela esposa representava o principal motivo de sua existência. Era um homem despedaçado e destruído pela dor. Já mencionei a enfermeira Leatheran. Se fosse um travesti masculino, teria de ser incrivelmente perfeito e me inclinei a crer que era exatamente o que pretendia ser... uma enfermeira de hospital da maior competência."

— Obrigada, da mesma forma — contrapus.

— Minha atenção ficou então despertada por Mr. e Mrs. Mercado, que se encontravam, tanto um como outro, em manifesto estado de grande agitação e intranquilidade. Primeiro analisei Mrs. Mercado. Seria capaz de cometer um crime e, se fosse, por quais razões?

"Mrs. Mercado tem a constituição frágil. Em princípio, não parecia provável que possuísse a força física suficiente para derrubar uma mulher como Mrs. Leidner com um pesado utensílio de pedra. Se, entretanto, Mrs. Leidner estivesse ajoelhada na ocasião seria pelo menos *fisicamente possível*. Existem maneiras de uma mulher induzir outra a se ajoelhar. Oh! Não maneiras sentimentais! Por exemplo, uma mulher pode querer encurtar a bainha da saia e pedir que a outra prenda os alfinetes para ela. A segunda se ajoelharia no chão sem desconfiar de nada.

"Mas o motivo? A enfermeira Leatheran já me falara dos olhares de fúria que vira Mrs. Mercado dirigir a Mrs. Leidner. Mr. Mercado, evidentemente, sucumbira com a maior facilidade aos encantos de Mrs. Leidner. Porém não acreditei que a solução fosse encontrada em mero ciúme. Tinha certeza de que Mrs. Leidner realmente não alimentava o mínimo interesse por Mr. Mercado... e Mrs. Mercado, sem dúvida, sabia disso muito bem. Podia ficar temporariamente indignada com o fato, mas para *assassinato* era preciso que houvesse maior provocação. Só que Mrs. Mercado é, intrinsecamente, um tipo arrebatadamente maternal. Pelo jeito com que olhava pro marido, percebi que não apenas o amava como também lutaria com unhas e dentes por ele... e mais até... *que encarava a possibilidade de ter de fazer isso.* Mantinha-se sempre de sobreaviso, apreensiva. Esse nervosismo era por causa dele... e não dela. E quando me concentrei em Mr. Mercado, me foi relativamente fácil adivinhar a raiz do problema. Recorri a um expediente para verificar a exatidão desse meu palpite. Mr. Mercado tomava entorpecentes... numa fase adiantada do vício.

"Ora, provavelmente não há a menor necessidade de explicar que a aplicação de entorpecentes durante um período muito prolongado produz o efeito de neutralizar a consciência moral de modo considerável. Sob a influência de drogas, um homem comete ações que nem sonharia cometer poucos anos atrás, antes de se dedicar à prática. Em certos casos, chega a cometer crimes... e tem sido difícil determinar se foi ou não foi totalmente responsável por seus atos. A lei de diversos países diverge ligeiramente nesse sentido. A principal característica do criminoso toxicômano é o excesso de confiança na própria esperteza.

"Julguei possível que houvesse algum incidente vexatório, talvez até criminoso, no passado de Mr. Mercado que a esposa tivesse logrado, de um modo qualquer, abafar. Em todo caso, a carreira dele estaria pendendo por um fio. Se se espalhassem rumores sobre esse incidente antigo, Mr. Mercado ficaria arruinado. A esposa se mantinha sempre de sobreaviso. Mas eu precisava também levar em consideração Mrs. Leidner, que tinha inteligência muito aguda e amor pelo poder. Ela talvez até induzisse o pobre homem a lhe confiar o segredo. Seria o tipo de coisa apropriado ao temperamento dela sentir-se de posse de um segredo que pudesse revelar a qualquer momento com resultados desastrosos.

"Eis, portanto, um possível motivo pro crime por parte dos Mercado. A fim de proteger o companheiro, Mrs. Mercado, eu tinha certeza, não hesitaria diante de nada! Tanto ela como o marido dispuseram da oportunidade... durante aqueles dez minutos em que o pátio ficou deserto."

— Não é verdade! — exclamou Mrs. Mercado.

Poirot não prestou atenção.

— Depois considerei Miss Johnson. Seria *ela* capaz de cometer um crime?

"Achei que sim. Possuía muita força de vontade e férreo autocontrole. Criaturas dessa espécie estão constantemente se reprimindo... e um dia a represa transborda! Mas se Miss Johnson tivesse cometido o crime só podia ser por um motivo relacionado com o dr. Leidner. Se se achasse convencida, de alguma forma, que Mrs. Leidner estava prejudicando a vida do marido, então o profundo ciúme inconsciente que abafava no íntimo, ante a possibilidade de um motivo plausível, saltaria da maneira mais desenfreada.

"Sim, Miss Johnson era positivamente uma possibilidade.

"Depois havia os três rapazes.

"Primeiro Carl Reiter. Se, por acaso, um dos membros da expedição fosse William Bosner, então Reiter, sem dúvida, era a pessoa mais indicada. Só que se *era* William Bosner, tinha de ser certamente um ator extraordinário! Se fosse apenas *ele mesmo*, teria algum motivo pro crime?

"Considerado sob o ponto de vista de Mrs. Leidner, Carl Reiter seria uma vítima fácil demais para interessar.

Morte na Mesopotâmia 217

Estava preparado para cair de bruços no chão e adorá-la incondicionalmente. Mrs. Leidner desprezava a adoração indiscriminada... e a atitude servil quase sempre desperta o pior lado feminino. Em sua maneira de tratar Carl Reiter, Mrs. Leidner demonstrou uma crueldade verdadeiramente deliberada. Aplicava um escárnio aqui... uma alfinetada ali. Transformou num inferno a vida do pobre rapaz.

Poirot se interrompeu subitamente e dirigiu-se a Reiter de maneira íntima, extremamente confidencial.

— *Mon ami*, aproveite a lição. Você é *homem*. Portanto comporte-se como tal! Rastejar não é próprio da natureza viril. As mulheres e a natureza têm quase exatamente as mesmas reações! Lembre-se de que é preferível pegar o maior prato ao seu alcance e jogá-lo à cabeça de uma mulher do que se retorcer feito um verme toda a vez que ela olhar para você!

Abandonou o tom pessoal e retomou seu estilo de sermão.

— Poderia Carl ter sido incitado a um tal ponto de tortura que se revoltasse contra sua algoz, matando-a? O sofrimento causa efeitos estranhos num homem. Não fiquei *certo* de que *não* houvesse acontecido assim!

"A seguir, William Coleman. Sua conduta, segundo o relatório de Miss Reilly, era certamente suspeita. Se fosse o criminoso, só podia ser porque sua personalidade expansiva dissimulava a personalidade oculta de William Bosner. Não creio que William Coleman, enquanto William Coleman, tenha o temperamento de um assassino. Suas faltas talvez residissem em outra direção. Ah! Quem sabe a enfermeira Leatheran é capaz de adivinhar quais seriam?"

Como é que adivinhara? Tenho certeza de que não estava dando a impressão de pensar absolutamente em coisa alguma.

— De fato não é nada — disse eu, hesitante. — Apenas, já que se está no terreno da verdade, o próprio Mr. Coleman uma vez declarou realmente que poderia ter sido um bom falsário.

218 Agatha Christie

— Ótima observação — opinou Poirot. — Por conseguinte, se houvesse encontrado alguma das velhas cartas ameaçadoras, poderia tê-la copiado sem dificuldade.

— Ai, ai, ai — exclamou Mr. Coleman. — Isso é o que se chama uma conspiração contra mim.

Poirot não se intimidou.

— Quanto a ele ser ou não ser William Bosner, trata-se de uma questão difícil de ser tirada a limpo. Mas Mr. Coleman mencionou um *tutor*... não um pai... e não existe nada para descartar definitivamente a ideia.

— Que disparate! — retrucou Mr. Coleman. — Não entendo como é que ficam dando ouvidos a esse cara.

— Dos três rapazes, resta apenas Mr. Emmott — continuou Poirot. — Também podia ser um possível disfarce para identidade de William Bosner. Fossem quais fossem os motivos *pessoais* que pudesse ter para eliminação de Mrs. Leidner, logo percebi que eu não disporia de meios de apurá-los por intermédio dele, que sabia guardar segredos como ninguém. Não havia a menor possibilidade de provocá-lo ou forçá-lo a se trair em qualquer sentido. De todos os participantes da expedição, parecia o melhor e mais imparcial julgador da personalidade de Mrs. Leidner. Creio que sempre soube exatamente como ela era... mas não pude descobrir o efeito que isso teria causado nele. Imagino que a própria Mrs. Leidner se sentisse certamente irritada e furiosa com sua atitude.

"Posso afirmar que, entre todos os membros da expedição, Mr. Emmott, *no tocante a caráter e capacidade*, me dava a impressão de ser o mais apto a executar satisfatoriamente um crime inteligente e bem-planejado."

Pela primeira vez Mr. Emmott desviou os olhos da ponta dos sapatos.

— Obrigado — disse.

Dir-se-ia haver um leve traço de ironia em sua voz.

— As duas últimas pessoas de minha lista eram Richard Carey e o padre Lavigny.

"Segundo o testemunho da enfermeira Leatheran e outros, Mr. Carey e Mrs. Leidner tinham uma antipatia mútua. A custo mostravam-se educados. Outra pessoa, Miss Reilly, propôs uma teoria totalmente oposta para explicar a glacial atitude de polidez de ambos.

"Logo verifiquei que a explicação de Miss Reilly era a que mais se aproximava da verdade. Adquiri minha certeza pelo simples expediente de instigar Mr. Carey a falar de forma arrojada e desprecavida. Não foi difícil. Conforme vi imediatamente, ele se achava num estado de forte tensão nervosa. De fato se achava... e se acha... à beira de um total colapso nervoso. Um homem que sofre até o limite da própria capacidade quase nunca oferece séria resistência numa discussão.

"As barreiras de Mr. Carey ruíram por terra praticamente na mesma hora. Revelou, com uma sinceridade de que não duvidei em um só momento, que odiava Mrs. Leidner.

"E estava, inegavelmente, dizendo a verdade. Odiava *mesmo* Mrs. Leidner. Porém, por quê?

"Já me referi a mulheres que possuem uma magia calamitosa. Mas há homens que também têm essa espécie de magia, que podem, sem o mínimo esforço, atrair mulheres. O que se chama, hoje em dia, *le sex appeal*! Mr. Carey tinha de sobra essa qualidade. Era, para começar, dedicado a seu amigo e patrão, e indiferente à esposa deste último. Isso não convinha a Mrs. Leidner. Ela *precisava* dominar... e se dispôs a cativar Richard Carey. Mas nesse ponto, creio eu, sucedeu algo inteiramente imprevisto. Ela própria, talvez pela primeira vez em sua vida, tombou vítima de uma paixão subjugadora. Apaixonou--se... com amor mesmo... por Richard Carey.

"E ele... não pôde resistir. Eis a verdade sobre o terrível estado de tensão nervosa que teve de suportar. Tem sido um homem dilacerado por duas paixões opostas. Amava Louise Leidner... sim, mas também odiava-a. Odiava-a por solapar a lealdade que devia ao amigo. Não existe maior ódio do que o de um homem que se apaixona involuntariamente por uma mulher.

"Aí estava o motivo que eu buscava. Fiquei convencido de que, *em certos momentos*, a coisa mais natural para Richard Carey seria bater com toda a força no belo rosto que o enfeitiçara.

"Desde o início eu me sentia seguro de que o assassinato de Louise Leidner era um *crime passionnel*. Em Richard Carey encontrei o candidato ideal para cometer esse tipo de crime.

"Restava apenas outro candidato ao título de assassino... o padre Lavigny. Minha atenção foi despertada pelo piedoso monge logo no começo, devido a uma certa discrepância entre sua descrição do forasteiro que fora visto espiando pela janela e a fornecida pela enfermeira Leatheran. Sempre costumava haver *um pouco* de divergência em todos os depoimentos prestados por testemunhas diferentes, mas essa era positivamente clamorosa. Além do mais, o padre Lavigny insistiu numa determinada característica... um estrabismo... que devia facilitar muito a identificação.

"Mas bem cedo tornou-se evidente que, *ao passo que a descrição da enfermeira Leatheran estava intrinsecamente exata*, a do padre Lavigny não era *nada parecida*. Dava quase a impressão de que procurava nos enganar de propósito... como se *não quisesse que encontrássemos o homem*.

"Mas nesse caso *decerto sabia qualquer coisa sobre o tal indivíduo misterioso*. Fora visto conversando com ele, porém só dispúnhamos de seu testemunho sobre o assunto da conversa.

"Que estava fazendo o iraquiano quando a enfermeira Leatheran e Mrs. Leidner o avistaram? Tentando espiar pela janela... a janela de Mrs. Leidner, julgaram ambas, mas ao me colocar no mesmo ponto em que se encontravam, percebi que podia ter sido igualmente *a janela do depósito de antiguidades*.

"Na noite do dia seguinte ocorreu um alarme. Havia um intruso no depósito de antiguidades. Entretanto, não se deu por falta de nada. O ponto interessante, a meu ver, é que quando o dr. Leidner chegou lá, *já encontrou o padre Lavigny na sala*. O padre Lavigny diz que viu uma luz. *Mas novamente só dispomos de seu testemunho.*

"Começo a sentir curiosidade pelo padre Lavigny. Outro dia, quando faço a sugestão de que o padre Lavigny talvez fosse Frederick Bosner, o dr. Leidner ridiculariza a ideia, dizendo que o padre Lavigny é uma pessoa famosa. Adianto a suposição de que Frederick Bosner, que teve quase vinte anos para criar uma nova carreira, sob um nome diferente, podia perfeitamente *ser* famoso a esta altura! Seja como for, não creio que tenha passado esse lapso de tempo numa comunidade religiosa. Uma solução muito mais simples se impõe.

"Algum membro da expedição conhecia de vista o padre Lavigny antes que ele chegasse aqui? Aparentemente não. Por que não podia, então, ser *alguém fingindo que era o monge*? Descobri que haviam telegrafado a Cartago a respeito da súbita enfermidade do dr. Byrd, que devia acompanhar a expedição. Nada mais simples do que interceptar um telegrama. Quanto ao trabalho, a expedição não contava com nenhum outro epigrafista. Com ligeiras noções sobre o assunto, um sujeito esperto *podia* ludibriar o resto da equipe. Tinham sido descobertas pouquíssimas placas e inscrições até então e eu já verificara que os pronunciamentos do padre Lavigny haviam causado certa estranheza.

"Tudo indicava que o padre Lavigny seria provavelmente um *impostor*.

"Mas seria ele Frederick Bosner?

"De qualquer modo, as coisas não pareciam encaminhar-se nesse sentido. A verdade provavelmente se encontrava numa direção bem diferente.

"Tive uma longa conversa com o padre Lavigny. Sou católico praticante e conheço vários sacerdotes e membros de comunidades religiosas. O padre Lavigny me deu impressão de não estar familiarizado com seu papel. Em compensação, porém, acreditei que estivesse familiarizado

222 Agatha Christie

com outro, muito diferente. Eu *já* encontrara indivíduos desse tipo com bastante frequência... só que não pertenciam a comunidades religiosas. Bem pelo contrário!

"Comecei a passar telegramas.

"E então, inadvertidamente, a enfermeira Leatheran me forneceu uma pista valiosa. Estávamos examinando os ornamentos de ouro no depósito de antiguidades e ela comentou que havia sido encontrado um pedaço de cera colado numa taça. Eu perguntei:'Cera?' E o padre Lavigny perguntou: 'Cera?' E foi o suficiente! Num instante, pelo tom de voz dele, descobri o que estava fazendo aqui."

Poirot fez uma pausa e dirigiu-se diretamente ao dr. Leidner.

— Lamento dizer-lhe, Monsieur, que a taça de ouro no depósito de antiguidades, a adaga de ouro, os enfeites para cabelo e diversas outras coisas *não são os objetos autênticos que o senhor encontrou*. São cópias bem-feitas, obtidas por electrotipia. Acabo de ser informado, por esta última resposta aos meus telegramas, que o padre Lavigny não é outro senão Raoul Menier, um dos ladrões mais hábeis nos anais da polícia francesa. É especialista em roubos de museus de *objets d'art* e congêneres. Seu cúmplice é Ali Yusuf, uma espécie de turco, que trabalha como joalheiro de primeira classe. Nunca tínhamos ouvido falar em Menier antes da descoberta feita pelo Louvre de que certos objetos que lá se encontravam não eram autênticos... Apurou-se então que, em cada caso, um ilustre arqueólogo, *que o diretor do museu jamais vira pessoalmente*, estivera há bem pouco tempo manuseando os artigos espúrios durante uma visita ao Louvre. Ao serem interrogados, todos esses ilustres cavalheiros negaram ter comparecido ao museu nas datas assinaladas!

"Fiquei sabendo que Menier estava em Tunis, em preparativos para efetuar um roubo dos Santos Padres, quando chegou o telegrama remetido pelo senhor. O padre Lavigny, que se achava doente, viu-se forçado a recusar o convite, mas Menier conseguiu apoderar-se do telegrama e substituí-lo por outro, aceitando. Sentia-se completamente seguro ao proceder dessa maneira. Mesmo que os monges lessem em algum jornal (o que era extremamente improvável) que o padre Lavigny se encontrava no Iraque, julgariam apenas que a notícia, como tantas vezes acontece, carecia de fundamento.

"Menier e seu cúmplice chegaram. O último é visto quando está inspecionando o depósito de antiguidades pelo lado de fora. O plano consiste em tirar impressões a cera, o que é feito pelo padre Lavigny. Ali Yusuf, então, faz cópias satisfatórias. Sempre há colecionadores inescrupulosos, dispostos a pagar bom preço por antiguidades autênticas sem formular perguntas indiscretas. O padre Lavigny efetuará a troca da falsificação pelo artigo genuíno... de preferência à noite.

"E isso sem dúvida era o que ele estava fazendo quando Mrs. Leidner ouviu e deu o alarme. Que saída encontra? Inventa às pressas uma história de ter visto luz no depósito de antiguidades.

"O que, como vocês dizem, *todo mundo engoliu*. Mas Mrs. Leidner não era nada ingênua. Talvez se lembrasse do pedaço de cera em que reparara e depois juntasse as duas coisas. E se foi isso o que ela fez, como teria procedido? Não estaria *dans son caractère* não tomar logo nenhuma providência e sim divertir-se com insinuações que provocariam embaraço no padre Lavigny? Deixando perceber que desconfia dele... mas não que *tem certeza*. É, talvez, um jogo perigoso, porém ela gostava dessa espécie de jogo.

"E, quem sabe, o tivesse jogado por um tempo longo demais. O padre Lavigny descobre a verdade e ataca antes que ela compreenda o que ele pretende fazer.

"O padre Lavigny é Raoul Menier... um ladrão. Será também... um *assassino*?"

Poirot caminhou pela sala. Tirou um lenço do bolso, enxugou a testa e prosseguiu.

— Essa era a situação em que me encontrava hoje de manhã. Havia oito possibilidades distintas e eu não sabia qual delas estava certa. Ainda ignorava *a identidade do criminoso.*

"O crime, porém, é um hábito. O homem ou mulher que mata termina sempre matando novamente.

"E, com o segundo crime, o assassino se desmascarou.

"Desde o início, sempre mantive presente no espírito que alguma dessas pessoas talvez estivesse de posse de conhecimentos que não ousava revelar... e que incriminavam o assassino.

"Nesse caso, tal pessoa correria perigo.

"Minha solicitude se concentrou principalmente na enfermeira Leatheran. Tinha uma personalidade dinâmica e inteligência ágil, inquisitiva. Fiquei apavorado de que descobrisse mais do que convinha à sua própria segurança.

"Como todos sabem, ocorreu um segundo crime. Mas a vítima não foi a enfermeira Leatheran... foi Miss Johnson.

"Agrada-me supor que eu teria achado a solução correta, de qualquer maneira, por puro raciocínio, mas é certo que o assassinato de Miss Johnson me ajudou a achá-la muito mais depressa.

"Para começar, um suspeito estava eliminado... a própria Miss Johnson... porque nem por um momento levei em conta a hipótese do suicídio.

"Examinemos agora as circunstâncias desse segundo crime.

"Primeira: No domingo de noite a enfermeira Leatheran encontrava Miss Johnson em pranto, e poucas horas mais tarde Miss Johnson queima um fragmento de carta que a enfermeira crê estar escrita com a mesma caligrafia das cartas anônimas.

"Segunda: Ao entardecer da véspera de sua morte, Miss Johnson é encontrada pela enfermeira Leatheran no terraço presa de um estado que a enfermeira descreve como de incrédulo horror. Ao interrogá-la, recebe a seguinte resposta: 'Vi como alguém pode entrar pelo lado de fora... sem que ninguém jamais percebesse.' E recusou maiores explicações.

Morte na Mesopotâmia   225

O padre Lavigny está cruzando o pátio e Mr. Reiter se acha à porta do departamento de fotografias.

"Terceira: Miss Johnson é encontrada moribunda. As únicas palavras que consegue articular são: 'a janela... a janela...'

"Essas foram as circunstâncias e estes são os problemas que temos de enfrentar: Qual a verdade sobre as cartas? O que viu Miss Johnson do terraço? Que pretendia dizer com 'a janela... a janela'?

"*Eh bien*, tomemos o segundo problema, em primeiro lugar, porque apresenta a solução mais fácil. Subi com a enfermeira Leatheran e parei na posição em que Miss Johnson tinha ficado. Dali ela avistava o pátio, a arcada e a ala norte do prédio onde se viam dois membros da equipe. Teriam aquelas palavras alguma relação com Mr. Reiter ou o padre Lavigny?

"Quase no mesmo instante me ocorreu uma explicação plausível. Se um desconhecido entrasse pelo *lado de fora*, só poderia fazê-lo *disfarçado*. E havia apenas *uma* pessoa cujo aspecto se prestava a isso. O padre Lavigny! Com um capacete contra o sol, óculos escuros, barba preta e o hábito comprido de algodão dos monges, um estranho poderia entrar sem que os empregados *percebessem* que se tratava de um estranho.

"Seria *isso* que Miss Johnson queria dizer? Ou teria ido mais longe? Será que descobrira que toda a *personalidade* do padre Lavigny era um disfarce? Que não era a pessoa que fingia ser?

"Sabendo o que eu sabia a respeito do padre Lavigny, me senti inclinado a considerar o mistério solucionado. Raoul Menier era o criminoso. Assassinara Mrs. Leidner para silenciá-la antes que o delatasse. *Agora outra pessoa revela que descobriu seu segredo. Ela, também, precisa ser eliminada.*

"E assim tudo se explica! O segundo crime. A fuga do padre Lavigny... sem o hábito e a barba. (Deve andar viajando em companhia do cúmplice através da Síria com dois excelentes passaportes de caixeiro-viajante.) Seu ato em colocar a mó manchada de sangue debaixo da cama de Miss Johnson.

"Como eu disse, fiquei quase satisfeito... mas não inteiramente. Pois a solução perfeita deve explicar *tudo*... o que não sucedia com essa.

"Ela não explica, por exemplo, por que Miss Johnson diria 'a janela... a janela' enquanto agonizava. Não explica seu ataque de choro por causa da carta. E nem sua atitude mental no terraço... aquele incrédulo horror e aquela recusa em revelar à enfermeira Leatheran o que era que *agora suspeitava ou sabia*.

"Era uma solução aplicável aos fatos *externos* mas que não satisfazia os requisitos *psicológicos*.

"E foi então que, parado no terraço, recapitulando mentalmente esses três pontos... as cartas, o terraço, a janela... eu *percebi*... tal como Miss Johnson tinha percebido!

"E dessa vez tudo se explicava!"

28
Fim da viagem

Poirot olhou em torno. Todos os olhos agora se fixavam nele. Tinha havido um certo espairecimento... um afrouxamento de tensão. De súbito, ela voltara.

Algo vinha vindo... algo...

A voz de Poirot, calma e desapaixonada, prosseguiu.

— As cartas, o terraço, "a janela"... Sim, tudo se explicava... tudo encaixava no lugar certo.

"Ainda há pouco eu disse que três homens tinham álibis para hora do crime. Dois desses álibis provaram não ter o menor valor. O terceiro também não tinha. O dr. Leidner não apenas *podia* ter cometido o crime... como eu estava convencido de que *cometera*."

Fez-se silêncio, um silêncio embaraçado, aturdido. O dr. Leidner nada disse. Parecia ainda imerso em seu mundo distante. David Emmott, porém, remexeu-se inquieto e falou.

— Não sei o que o senhor pretende insinuar, M. Poirot. Eu lhe afirmei que o dr. Leidner nunca saiu do terraço até,

Morte na Mesopotâmia   227

pelo menos, as 14h45. Essa é a pura verdade. Juro solenemente que é. Não estou mentindo. E ser-lhe-ia absolutamente impossível ter feito isso sem que eu visse.

Poirot assentiu.

— Oh, eu acredito no senhor. *O dr. Leidner não saiu do terraço.* É um fato indiscutível. Mas o que eu percebi... e o que Miss Johnson tinha percebido... foi *que o dr. Leidner podia assassinar a esposa sem precisar descer do terraço.*

Ficamos todos boquiabertos.

— A *janela* — gritou Poirot. — A *janela dela!* Foi isso que eu percebi... tal como Miss Johnson percebera. A janela do quarto de Mrs. Leidner ficava logo abaixo, do lado oposto ao do pátio. E o dr. Leidner permanecera sozinho lá em cima sem ninguém para testemunhar sua ação. E aquelas pesadas mós trituradoras de pedra se achavam ali, ao alcance da mão dele. Tão simples, tão incrivelmente simples, desde que se admitisse uma hipótese... *que o criminoso tivesse oportunidade de mudar a posição do cadáver antes que alguém visse.* Oh, é uma beleza... de uma simplicidade incrível!

"Ouçam... a coisa se passou assim:

"O dr. Leidner está no terraço, trabalhando na cerâmica. Ele chama o senhor lá em cima, Mr. Emmott, e enquanto o retém conversando, nota que, como em geral acontece, o garoto se aproveita de sua ausência para abandonar o serviço e ir lá fora. Conserva o senhor na companhia dele durante dez minutos, depois deixa-o descer e assim que ele chega aqui embaixo, gritando pelo garoto, põe o plano em ação.

"Tira do bolso a máscara besuntada de plasticina com a qual já assustou a esposa em ocasião anterior, balançando-a à beira do parapeito até bater na janela lá embaixo.

"Essa, lembrem-se, é a que abre pro campo, do lado oposto ao do pátio.

"Mrs. Leidner está deitada na cama, quase adormecida. Tranquila e feliz. De repente a máscara começa a bater na janela e lhe chama a atenção. Só que agora não há lusco-fusco... é dia claro... não há nada de aterrorizante nela. Identifica-a pelo que ela é... uma forma grosseira de embuste! Em vez de se assustar, fica indignada. Faz o que qualquer mulher faria em seu lugar. Salta da cama, abre a janela, mete a cabeça entre as grades e vira o rosto para cima, para ver quem é o autor do embuste.

"O dr. Leidner está à espera. Suspende nas mãos, preparada, uma mó pesada. No momento psicológico, *ele a deixa cair.*

"Com um leve grito (ouvido por Miss Johnson), Mrs. Leidner tomba sobre o tapete ao pé da janela.

"Ora, a mó tem um furo, e por ele o dr. Leidner fez passar, previamente, uma corda. Agora basta-lhe içá-la, puxando a mó para cima. E torna a colocá-la, com todo o cuidado, a mancha de sangue virada para baixo, entre outros objetos do mesmo gênero que se encontram no terraço.

"Depois continua seu serviço durante uma hora ou mais até julgar chegado o momento do segundo ato. Desce a escada, fala com Mr. Emmott e com a enfermeira Leatheran, cruza o pátio e entra no quarto da esposa. Esta é a explicação que ele próprio dá pros seus movimentos ali: 'Vi o corpo de minha mulher amontoado ao lado da cama. Por um instante me senti paralisado como se não me pudesse mexer. Depois, finalmente, fui e me ajoelhei perto dela, levantando-lhe a cabeça. Percebi que estava morta... Então me pus em pé. Não consegui enxergar nada direito e tive a sensação de estar bêbado. Pude alcançar a porta e chamar por socorro.'

"Uma descrição perfeitamente plausível dos movimentos de um homem cego de dor. Agora ouçam o que eu acredito que de fato aconteceu. O dr. Leidner entra no quarto, corre à janela, e tendo calçado um par de luvas, fecha-a e tranca. Aí então levanta o cadáver da esposa, mudando-o para uma posição entre a cama e a porta. Depois enxerga uma leve mancha no tapete ao pé da janela. Não dá para trocá-lo pelo outro tapete, são de tamanhos diferentes, mas opta pela seguinte solução: coloca o tapete manchado diante do lavatório e o que estava ali, ao pé da janela. *Se* a mancha for percebida, será ligada com o *lavató-rio*... não com a *janela*... detalhe importantíssimo. Não deve haver nenhuma sugestão de que a janela desempenhou qualquer papel no crime. Por fim vem até a porta e banca o marido desolado, o que, imagino, não lhe é muito difícil. Porque *de fato* amava a esposa."

— Escute aqui, meu caro — exclamou o dr. Reilly, já impaciente —, se ele a amava, por que a matou? Onde está o motivo? Você perdeu a língua, Leidner? Diga-lhe que ele está louco.

O dr. Leidner não falou nem se moveu.

— Não lhes afirmei desde o início que se tratava de um *crime passionnel*? — perguntou Poirot. — Por que o primeiro marido dela, Frederick Bosner, ameaçou matá-la? Porque a amava. E no fim, como veem, cumpriu a palavra.

"*Mais oui*... *mais oui*... desde que compreendi que o dr. Leidner cometeu o crime tudo se explica.

"Pela segunda vez, recomeço minha viagem a partir do início... o primeiro casamento de Mrs. Leidner... as cartas ameaçadoras... as segundas núpcias. As cartas a impediram de casar com qualquer outro homem... porém não a impediram de casar com o dr. Leidner. A explicação é facílima... *o dr. Leidner é realmente Frederick Bosner.*

"Para começar, ele ama a esposa, Louise, com paixão irresistível, de uma intensidade que só uma mulher como ela é capaz de despertar. Ela o atraiçoa. É condenado à morte. Foge. Fica envolvido num desastre ferroviário, porém consegue reaparecer com nova personalidade... *a de um jovem arqueólogo sueco, Eric Leidner*, cujo cadáver, horrivelmente mutilado, será convenientemente enterrado como Frederick Bosner.

"Qual a atitude do novo Eric Leidner com a mulher que estava disposta a enviá-lo à morte? Primeiro, e acima de tudo, *ele ainda a ama*. Lança-se à tarefa de construir uma vida nova. É homem de grande habilidade, foi talhado para sua profissão e a transforma em êxito. *Porém jamais esquece a paixão predominante de sua vida*. Mantém-se informado sobre os movimentos da esposa. De uma coisa está friamente resolvido (lembrem-se da descrição que a própria Mrs. Leidner fez dele para enfermeira Leatheran... delicado e gentil mas implacável): *ela não pertencerá a nenhum outro homem*. Toda vez que julga necessário, manda uma carta. Imita certas peculiaridades da letra, caso invente de mostrar as cartas à polícia. As mulheres que escrevem cartas anônimas sensacionais a si mesmas constituem um fenômeno tão comum que a polícia com certeza optaria logo por essa solução, dada a semelhança da caligrafia. Ao mesmo tempo ele a deixa em dúvida sobre se está realmente vivo ou não.

"Por fim, depois de muitos anos, julga que chegou a hora; reaparece na vida dela. Tudo corre bem. A esposa jamais suspeita de sua verdadeira identidade. É homem famoso. O rapaz bonito e alinhado hoje é um sujeito de meia-idade, que usa barba e tem ombros caídos. E assim vemos como a história se repete. Tal como antes, Frederick consegue dominar Louise. Pela segunda vez, consente em casar com ele. *E nenhuma carta surge para proibir os proclamas*.

"No entanto, *posteriormente*, uma carta *é* recebida. Por quê?

"Creio que o dr. Leidner não estava disposto a se arriscar. A intimidade do casamento *podia* avivar certas lembranças. Deseja convencer a esposa, de uma vez por todas, de *que Eric Leidner e Frederick Bosner são duas pessoas diferentes*. Tanto assim que uma carta ameaçadora é remetida pelo primeiro só por causa do segundo. O incidente um tanto pueril do envenenamento de gás acontece logo depois... preparado pelo dr. Leidner, evidentemente. Sempre com o mesmo propósito em vista.

"A partir de então, fica satisfeito. Não precisa remeter novas cartas. Podem recolher-se a uma feliz vida conjugal.

"Mas eis que, após quase dois anos, *as cartas recomeçam*.

"*Por quê*? *Eh bien*, acho que sei. *Porque a ameaça que continha sempre foi verdadeira*. (É por isso que Mrs. Leidner vivia assustada. *Conhecia* o caráter gentil, mas implacável, de seu Frederick.) *Se ela pertencer a algum outro homem ele a mataria. E ela se entregou a Richard Carey.*

"E assim, descoberta a traição, o dr. Leidner, fria e calmamente, prepara a cena do crime.

"Compreendem agora o papel importante desempenhado pela enfermeira Leatheran? O estranho comportamento do dr. Leidner (que desde o começo me deixou intrigado) ao contratá-la para cuidar da esposa, está explicado. Era vital que uma testemunha profissional, fidedigna, pudesse declarar irrefutavelmente que Mrs. Leidner havia sido morta *há mais de uma hora* quando o cadáver foi descoberto... ou seja, que fora assassinada quando *todos seriam capazes de jurar que o marido se encontrava no terraço*. Uma suspeita *talvez* fosse levantada de que a matara ao entrar no quarto e achar o cadáver... mas isso não seria possível se uma enfermeira com treino hospitalar assegurasse categoricamente que já tinha morrido há uma hora atrás.

"Outra coisa que se explica é o curioso estado de tensão e nervosismo que tomou conta da expedição este ano. Eu nunca, desde o início, julguei que se atribuísse exclusivamente à influência de Mrs. Leidner. Durante várias temporadas, esta mesma expedição teve fama de ótima camaradagem. Na minha opinião, o estado de espírito de uma comunidade sempre reflete, diretamente, a pessoa que ocupa a chefia. O dr. Leidner, por mais quieto que fosse, era um homem de grande personalidade. Foi devido a seu tato, bom senso e compreensivo manejo do caráter humano que a atmosfera sempre fora de tanta alegria.

"Se ocorrera uma mudança, portanto, só podia ser atribuída à pessoa em comando... em outras palavras, ao dr. Leidner. Era o *dr.* Leidner, e não Mrs. Leidner, o responsável pela tensão e constrangimento. Não é de admirar que a equipe sentisse a mudança sem compreender o motivo. O paciente e amável dr. Leidner, aparentemente o mesmo, estava apenas representando aquele papel. O verdadeiro homem era um fanático obcecado que planejava um crime.

"E agora vejamos o segundo assassinato... o de Miss Johnson. Ao arrumar os papéis do dr. Leidner no escritório (um serviço de que se incumbiu espontaneamente, ansiosa por ter algo para fazer) ela decerto encontrou algum rascunho incompleto de uma das cartas anônimas.

"Deve ter achado tão incompreensível quanto extremamente inquietante! O dr. Leidner aterrorizando deliberadamente a própria esposa! Não pode compreender aquilo... mas fica tremendamente abalada. É nessa disposição de ânimo que a enfermeira Leatheran a descobre chorando.

"Não creio que na ocasião ela suspeitasse de que o dr. Leidner fosse o criminoso, porém minhas experiências de som nos quartos de Mrs. Leidner e do padre Lavigny adiantaram alguma coisa para ela. Ela percebe que, se *foi* o grito de Mrs. Leidner que escutou, *a janela do quarto de Mrs. Leidner devia estar aberta e não fechada*. Na hora isso não lhe transmite uma impressão vital, *mas fica gravado em sua memória*.

"O cérebro dela continua a funcionar... esmiuçando sempre, cada vez mais próximo da verdade. Talvez fizesse alguma referência às cartas e o dr. Leidner percebesse o perigo, mudando de atitude. Miss Johnson então nota que ele, de repente, se apavora.

"Mas o dr. Leidner *não pode* ter assassinado a esposa! Passou o tempo todo no *terraço*.

"E depois, uma tarde, ao se achar também lá em cima, pensando naquele enigma, a verdade lhe cai como um raio. Mrs. Leidner fora morta dali de cima, através da janela aberta.

"Foi nesse instante que a enfermeira Leatheran a encontrou.

"E imediatamente, reafirmando-se a velha afeição que dedicava ao chefe, improvisa um rápido fingimento. A enfermeira Leatheran não deve adivinhar a medonha descoberta que acaba de fazer.

"Olha propositadamente na direção oposta (pro pátio) e comenta alguma coisa sugerida pela aparição do padre Lavigny ao atravessar o pátio.

"Recusa-se a dar explicações. Tem de 'refletir um pouco'.

Morte na Mesopotâmia   233

"E o dr. Leidner, que andava observando-a ansiosamente, *percebe que ela sabe de tudo*. Não é o tipo de mulher que dissimule o horror e a angústia que está sentindo.

"É verdade que por enquanto ainda não o denunciou... mas por quanto tempo poderá continuar confiando nela?

"O crime é um hábito. Naquela noite ele substitui o copo d'água por outro, contendo ácido. Há sempre possibilidade de que pensem que se envenenou deliberadamente. Ou até de que tivesse cometido o primeiro assassinato e se deixasse agora vencer pelo remorso. Para reforçar essa ideia, retira a mó do terraço e coloca-a debaixo da cama.

"Não é de admirar que a pobre Miss Johnson, em sua agonia, pudesse apenas tentar desesperadamente revelar a informação que tanto lhe custara obter. Pela 'janela', foi *assim* que Mrs. Leidner morreu, *não* pela porta... pela *janela*.

"E, desse modo, tudo se explica, tudo encaixa nos respectivos lugares. Psicologicamente perfeito.

"Só que não existem provas. Absolutamente nenhuma."

Nenhum de nós abriu a boca. Estávamos perdidos num mar de horror. Sim, e não apenas de horror. De compaixão, também.

O dr. Leidner não se mexeu nem falou. Ficou sentado exatamente como estivera até então. Um homem extenuado, abatido, velho.

Por fim agitou-se ligeiramente e fitou Poirot com olhos mansos, cansados.

— Não — disse ele —, não existem provas. Mas isso não tem importância. O senhor sabia que eu não negaria a verdade. Jamais neguei a verdade... Eu acho... realmente... que me sinto até contente. Estou tão exausto...

Depois acrescentou simplesmente:

— Lamento por causa de Anne. Aquilo foi ruim... insensato... não era *eu*! E ela sofreu, também, pobrezinha. Sim, aquilo não era eu. Era medo.

Um leve sorriso pairava nos lábios retorcidos de dor.

— O senhor seria um ótimo arqueólogo, M. Poirot. Tem o dom de recriar o passado.

"Tudo se passou exatamente como descreveu.

"Eu amava Louise e matei-a. Se a tivesse conhecido, compreenderia... Não, creio que mesmo assim o senhor compreende."

29
L'envoi

Não resta, de fato, grande coisa para contar.

O "padre" Lavigny foi preso com outro indivíduo ao tomar o vapor em Beirute.

Sheila Reilly casou com o jovem Emmott. Acho que será ótimo para ela. Ele não é servil, saberá mantê-la em seu devido lugar. Ela teria tiranizado o coitado do Bill Coleman.

Por falar nisso, tratei dele, quando teve apendicite há um ano. Passei a simpatizar muito com ele. Seu tutor ia mandá-lo para uma fazenda na África do Sul.

Nunca mais voltei ao Oriente. É engraçado, às vezes bem que gostaria. Penso no ruído que a roda hidráulica fazia, e nas mulheres lavando roupa, e naquele olhar arrogante, esquisito, que os camelos dão para a gente, e chego até a sentir saudade. Afinal de contas, talvez a sujeira não seja realmente tão insalubre quanto nos ensinaram a crer!

O dr. Reilly geralmente me procura quando vem à Inglaterra e, como já disse, foi ele quem me meteu nesta. "Se não quiser, não precisa aceitar", falei para ele. "Sei que a gramática está toda errada e que não escrevi direito nem coisa parecida... mas ficou pronto."

E ele aceitou. Sem a menor cerimônia. Se chegar a ser publicado, vou ter uma sensação danada.

M. Poirot voltou à Síria e mais ou menos uma semana depois foi para casa pelo Expresso do Oriente, onde se envolveu em outro crime. Era esperto, não nego, mas não lhe perdoo assim no mais o modo como se divertiu à minha custa. Fingindo julgar que eu podia estar metida no assassinato e não ser enfermeira de hospital coisíssima nenhuma!

Os médicos às vezes também são assim. Gozam à nossa custa, ora se não, e nunca se lembram que podem magoar *a gente!*

Tenho pensado muito em Mrs. Leidner e em como ela realmente era. Há ocasiões em que me parece que foi uma mulher simplesmente terrível, e em outras me lembro de sua delicadeza comigo, da suavidade de sua voz, e do belíssimo cabelo que tinha e tudo o mais, e acho que talvez, em última análise, é mais digna de lástima que de reprovação.

E não posso deixar de sentir pena do dr. Leidner. Sei que foi duplamente assassino, mas para mim não parece fazer grande diferença. Era tão tremendamente apaixonado por ela. É horrível gostar tanto assim de alguém.

De qualquer modo, à medida que envelheço e vejo uma quantidade sempre maior de pessoas, tristezas, doenças e tudo o mais, fico cada vez com mais dó de todo mundo. Há momentos em que, francamente, não sei aonde foram parar os bons princípios rígidos com que titia me educou. Era uma mulher profundamente religiosa, e muito exigente. Não havia nenhum de nossos vizinhos cujos defeitos ela não soubesse de cor e salteado.

Ai, meu Deus, não é que o dr. Reilly tinha razão? Como é que a gente faz para parar de escrever? Se eu pudesse encontrar uma frase realmente boa, que produzisse o efeito desejado...

Vou perguntar a ele se não conhece alguma em árabe.

Que nem a que M. Poirot usou.

Em nome de Alá, o Clemente, o Misericordioso...

Algo por esse estilo.

Sobre a autora

Agatha Christie nasceu em Torquay, cidade da Inglaterra, em 1890, e tornou-se a romancista mais vendida de todos os tempos. Escreveu oitenta romances e coletâneas de contos, além de mais de uma dúzia de peças, incluindo *A ratoeira*, peça que ficou mais tempo em cartaz na história teatral. Agatha também escreveu sua autobiografia, publicada no Brasil em 1977. Embora seu nome seja sinônimo de ficção policial, a extensão dos temas em seus romances é extraordinária, e Agatha realmente merece um lugar de destaque como uma das mais queridas escritoras de todos os tempos.

Seu sucesso permanente, ampliado pelas inúmeras adaptações para o cinema e para a tevê, é um tributo ao eterno fascínio de seus personagens e à absoluta engenhosidade de suas tramas.

Agatha Christie morreu em 1976, aos 85 anos, de causas naturais.

Surpreso com o desfecho desse mistério?

Não deixe de conferir outros desafios que
a Rainha do Crime preparou para seus detetives:

A maldição do espelho (Miss Marple)
A mansão Hollow (Hercule Poirot)
Assassinato no Expresso do Oriente (Hercule Poirot)
Cem gramas de centeio (Miss Marple)
Morte no Nilo (Hercule Poirot)
Nêmesis (Miss Marple)
O mistério dos sete relógios
Os crimes ABC (Hercule Poirot)
Os elefantes não esquecem (Hercule Poirot)
Os trabalhos de Hércules (Hercule Poirot)
Um corpo na biblioteca (Miss Marple)

Este livro foi impresso para
a HarperCollins Brasil.
A fonte usada no miolo é Bembo, corpo 10.